KB195862

자신을 위해
사는 용기

자신을 위해
사는 용기

초판 1쇄 펴낸 날 | 2015년 5월 8일

지은이 | 김지미
펴낸이 | 이금석
기획 · 편집 | 박수진
디자인 | 김경미
마케팅 | 곽순식
경영 지원 | 현란
펴낸 곳 | 도서출판 무한
등록일 | 1993년 4월 2일
등록번호 | 제3-468호
주소 | 서울 마포구 서교동 469-19
전화 | 02)322-6144
팩스 | 02)325-6143
홈페이지 | www.muhan-book.co.kr
e-mail | muhanbook7@naver.com
가격 13,000원
ISBN 978-89-5601-386-2 (03320)

잘못된 책은 교환해 드립니다.

자신을 위해 사는 용기

김지미 지음

prologue

"넌 엄마가 늦잠 자면 학교 지각할 거야?"

어제 늦게까지 할 일이 있어 평상시보다 2시간 늦게 잤더니 알람소리도 못 듣고 늦잠을 자버렸다. 일찌감치 일어나 TV를 보던 딸이 "엄마, 안 일어나?"라는 소리에 겨우 눈을 떴다. 시계를 보고 놀라서 허둥지둥 일어나 아이들 아침부터 챙겼다.

늦잠 잔 게 아이들에게 민망해서일까? 아님 아이들이 나 때문에 지각할지도 모른다는 초조함 때문일까? 오늘따라 아이들에게 더 예민하게 군다.

"이정민! 너 엄마가 안 챙겨주면 혼자 준비할 줄 몰라? 지금 뭐해야 하는지 모르겠어? 엄마가 아까부터 옷 입고 있으라고 했잖아!"

"이설! 넌 엄마가 한 번 부르면 안 올 거야? 왜 같은 말을 몇 번씩 하게 만들어? 너 때문에 누나가 매일 지각이잖아!"

이렇게 소리치면서도 우스웠다. 아이들에게 나는 어떻게 보일까? 엄마가 늦잠을 자놓고 자신들을 탓하고 있으니 말이다.

아침부터 엄마의 잔소리에 힘이 빠져 등교하는 아이의 뒷모습을 보니 후회가 몰려온다. 내가 일찍 일어났어야 하는 건데, 조금만 참을 걸……. 아이들한테 소리치는 게 아니었어, 학교 가기 전에 안아나 줄 걸…….

후회가 밀려오자 이미 무거워진 마음에 돌덩이가 하나 더 올려진 기분이다. 이 후회는 남편을 향한 원망으로 바뀐다.

"애는 나 혼자 낳았어? 이 모든 걸 왜 나 혼자 감당해야 돼?"

그도 잠시, 어제 치우고 잤던 거실이 또다시 엉망이 된 것을 보니 한숨부터 나온다. 이 지긋지긋한 살림의 끝이 있기는 한 걸까? 어디서부터 잘못된 걸까? 이건 내가 원한 모습이 아닌데, 이것이 과연 행복일까?

어느 날 문득 10년 후 나는 어떤 모습일까 상상해 보았다. 나이만 10살 더 들었을 뿐 이 생활이 나아질 것 같아 보이지 않았다. 한숨만 나오고 가슴은 답답하다. 나름 열심히 살려고 발버둥 쳐보지만, 아무런 도움이 되지 않는 신랑도 아이들도 부모님들도 다 내 편이 아닌 것 같아 그저 원망스러울 뿐이다.

대한민국의 엄마들은 아프다. 그래서 지치고 스트레스 받을 때마다 풀

곳 없는 엄마들은 조금씩 무너진다.

'난 좋은 엄마일까? 내가 잘하고 있는 것일까? 이것이 맞는 걸까?'

그저 아이가 보여주는 결과가 엄마의 성적이 되는 세상. 그래서 대한민국 여성들은 30대부터 나를 잃고 방황한다. 그러다 문득 '나'를 찾고 싶다는 생각이 들 때 나오는 것은 한숨뿐이다.

밤중 수유를 위해 뜬눈으로 밤을 지새우며 멍하니 창밖을 바라보다 나도 모르게 눈물이 흘렀던 적이 있다면, 아이를 업고 의자에 앉지도 못한 채 물에 대충 밥을 말아 끼니를 때웠던 적이 있다면, '나도 한때는 잘나가던 여자였는데, 왜 이렇게 살고 있는 거지?' 하며 남몰래 눈물 흘렸던 적이 있다면, 이제는 당신의 행복을 찾아나서야 할 때다.

결혼을 하고 아이를 낳고 평범한 대한민국의 아줌마로 살아가다 보니 어느새 '나'는 사라지고 '엄마'와 '아내'만 남아 있었다. 매일 반복되는 삶이 절망적이라 여겨졌던 어느 순간, 작은 희망의 불빛을 보았다. 일어서서 그 빛을 향해 걸어가자 어느새 암흑은 사라지고 행복과 꿈으로 가득한 세상이 나타났다.

당신이 서 있는 그 자리가 한 치 앞도 보이지 않는 암흑이라 할지라도 그 길의 끝에 희망의 빛은 반드시 있다. 당신의 두 손을 꼭 잡고 해주고 싶은 말이 있다.

"엄마가 성장하는 만큼 아이의 꿈이 자랍니다. 더 이상 망설이지 마십시오. 지금은 아이보다 자신을 더 사랑해야 할 시간입니다."

–김지미

Contents

chapter 3

여자이기에 더 빨리 준비해야 하는 인생 전략

chapter 4

멀리 보는 연습을 하라

chapter 5

10년 후가 기대되는 여자가 되라

chapter 1

여자의 10년 후는 남자와 다르다

01

어제와 같은 오늘,
오늘과 같을 내일

대학만 가면 다 되는 줄 알았다. 그래서 친구들과 수다 떨고 싶고, TV 보고 싶고, 놀러 다니고 싶은 것을 대학 입학 이후로 미뤘다. 대학에 가면 세상을 다 얻는 줄 알았더니 착각이었다. 대학을 입학하자마자 취업을 위한 스펙 쌓기에 정신이 없었다. 행복은 취업 후로 다시 밀렸다. 그렇게 취업하면 다 되는 줄 알았다. 어렵사리 들어간 직장에서 잘리지 않기 위해 앞만 보고 달려왔다. 남들 결혼하는 나이에 결혼을 했고, 아이도 낳았다.

아이를 키우고 살림하면서 목표를 향해 달려가는 법을 잊었다. 목표보다는 남들이 어떻게 사는지 둘러보고, 비교하면서 살았다. 시계태엽 돌아가듯 어제 같은 오늘을 살고, 오늘 같은 내일을 산다. 지난 주말과 같은 주말을 보내고, 작년과 같은 여름을 보내고 있다. 그저 변한 것이라고는 아이들이 컸다는 것과 내 나이가 더 먹어간다는 것밖에 없다. '언제까지 이런 생활을 살게 되는 걸까?'라고 생각도 해보지만, 이번 달 카드값 메울 생각으로 묻어져 버리고 만다.

나는 어른이 되면 세상을 다 가질 수 있는 줄 알았다. TV 드라마를 보면 직장에서 잘릴까 봐 전전긍긍하면서도 깔끔한 아파트에 살고, 좋은 옷과 가방을 들었다. 부모에게 버림받아 고아로 자란 여주인공 앞에는 항상 짠하고 나타나는 백마 탄 왕자님이 있었다. 사는 것이 힘들고 시련이 닥쳐도 주인공이 옥탑방 마당에서 바라보는 서울 하늘은 낭만적이었다. 그건 드라마에나 있는 일이라는 것은 서른이 넘어서야 알았다. 내가 살아가야 하는 것은 현실이었다. 스스로 해결해야 할 일투성이뿐이다. 힘들고 지칠 때 어깨를 두드려 주고 뒤에서 나도 모르게 해결해 주는 백마 탄 왕자님은 없었다.

내가 삼시 세끼 밥을 차리지 않으면 아이들이 굶었고, 빨래를 하지 않으면 오늘 신을 양말이 없었다. 내 어깨에 올려진 짐의 무게가 힘들어도 주저앉을 수 없는 현실 앞에서 앞으로 나아가지도 뒤로 물러서지도 못하는 하루가 매일 반복되었다. 일과 육아를 병행하면서 며느리로, 아내로, 엄마로, 의무를 다하다 어느 날 문득 깨달았다. 엄마라는 사람은 아파서도 안 된다는 것을, 아내라는 사람은 완벽해야 한다는 것을, 며느리라는 사람은 기계여야 한다는 사실을.

아이가 아파 밤새 잠을 뒤척이고 다크서클이 발바닥까지 내려와 쓰러질 것 같아도 밤을 새고 출근을 해야 했다. 아이에게 감기가 옮아 삭신이 쑤셔도 아침에 일어나 아이들을 챙겨 보내야 했다. 회식을 마다하고 부랴부랴 퇴근해 옷은 벗는 둥 마는 둥 저녁 준비에 정신이 없어 아이들에게 눈길 한 번 마주치지 못하고 있는데 남편은 오늘도 야근이라고 한다.

회식 때 집안일을 핑계로 항상 빠지고, 야근은 당연히 못하는 사람으로 찍혔고, 아이가 아프거나, 유치원 행사 때마다 휴가를 냈더니 승진은 이미 물 건너갔다. 그저 잘리지 않고 다니게만 해주어도 감사한 마음으로 오늘도 지각을 면하기 위해 잠이 덜 깬 아이들을 선생님께 던지듯이 하고 회사로 향했다.

시댁 제사라 반일 휴가를 내고 아이들을 챙겨 시댁으로 향하지만 이미 시어머님과 형님이 준비를 다 해놓았다. 회사에서도 반일 휴가 쓰느라 눈치 보고, 시댁에 와서도 눈치를 보고 있자니 설거지하다 나도 모르게 감정이 북받쳐 눈물이 흘러내린다. 학교 다닐 때 공부만 열심히 하면 성공한다고 했는데, 대학에만 가면 행복할 줄 알았는데, 결혼하면 핑크빛 달콤함에 빠져서 살 줄 알았는데 살아보니 그게 아니었다.

아이를 어린이집 버스에 태우고 집으로 돌아왔다. 아침상은 뒷정리도 되어 있지 않고, 자고 일어난 자리도 정리가 안 되어 있다. 어제 아이들이 어질러 놓은 장난감이 거실 가득이다. 매일 보는 이 장면, 아침마다 치워도 아이들이 오는 오후가 되면 집은 엉망이 되지만 습관처럼 거실에 어질러진 장난감들을 치우면서 하루가 시작된다. 아침마다 이렇게 치우는 걸 아는지 모르는지 남편은 퇴근하면서 다시 엉망이 된 집을 보면서 또 한소리 한다.

"도대체 당신은 집에서 하는 게 뭐야? 집안 꼴이 이게 뭐야?"

나도 한때는 잘나가던 여자였는데, 고생 안 시킨다는 남편의 말을 믿고 결혼을 했다. 아이가 눈에 밟혀 과감하게 사표를 쓰고 집안에 들어앉아 육아와 살림에 전념한 지 5년째. 매일 앉을 틈 없이 무언가를 열심히 하지만 퇴근하고 돌아온 남편의 잔소리에 속은 부글부글 끓어오른다. 하지만 오늘도 싸우기 싫어 마음 한구석에 담아 놓고 저녁을 준비한다.

도대체 뭐가 어디서부터 잘못된 걸까? 내가 무엇을 잘못하고 있는 것인지 도무지 알 수 없다. 그저 난 열심히 살았을 뿐인데, 이것은 내가 원한 모습이 아니었다. 난 행복할 수 없는 걸까?

어렸을 적 엄마는 원래 그런 사람인 줄 알았다. 아버지의 계속되는 부도로 10년 동안 가정주부였던 엄마는 직업전선에 뛰어들어야 했다. 아이 넷을 키우면서 살림만 했던 엄마가 할 수 있는 일은 그다지 많지 않았다. 지금이야 여성들의 일자리가 많이 늘어났다고 하지만 20년 전만 해도 40대의 여성이 일할 수 있는 곳은 많지 않았다. 주중에는 식당에서 일을 하셨고 주말에는 예식장에서 아르바이트를 하셨다.

매일 아침마다 4명 자식들의 도시락을 7개씩 싸셨다. 아침에 눈을 뜨면

보는 엄마의 모습은 부엌에서 반찬을 도시락통에 담고 계신 모습이셨다. 그 모습을 보면서 '엄마는 힘드시겠다', '잠도 많이 못 주무시고 일찍 일어나셔서 우리 도시락 싸시는구나'라는 생각은 해본 적이 없다. 오히려 그런 모습이 당연한 듯 '에게, 반찬이 이게 뭐야? 오늘 반찬은 별로다. 나 이거 싫어하는데'라는 말을 아무렇지 않게 하곤 했었다.

그런 엄마의 모습을 보면서 엄마는 자식들을 위해 당연히 그 정도는 해야 하는 줄 알았다. 어른들은 일찍 일어나도 피곤하지 않고, 어른이 되면 돈은 당연히 벌어야 하는 것이고, 어른이 되면 고민 없이 사는 줄 알았다.

하지만 지금 두 아이를 키우면서 나도 부모의 입장이 되어보니 그때 부모님은 얼마나 힘드셨을지 이해가 간다. 커가는 아이들을 보면서 하나라도 더 해주기 위해 밤잠을 줄여야 했던 부모님, 남들처럼 다 해주지 못해 항상 미안한 마음을 가지셨던 부모님이 얼마나 열심히 사셨는지 이제야 알게 되었다.

요즘 아이 키우는 엄마들과 이야기하다 보면 힘들다는 이야기를 많이 한다. 부모님 세대보다 풍요롭고 보육시설이 많아졌는데 대체 무엇이 힘든 걸까?

나도 첫째를 낳고 '힘들다, 피곤하다'는 말을 입에 달고 살았다. 대체 무엇이 그리 힘들었을까? 아마도 준비하지 못한 것들을 해내느라 힘들었던 것이 아닌가 싶다. 부모님께 일방적으로 받기만 하고 살았던 생활에서 주어야 하는 입장으로 180도 바뀌다 보니 모든 것이 혼란스러운 것이다.

어른이 되면 많은 책임이 생긴다는 것을 아무도 이야기해주지 않았다. 결혼을 하면 마냥 행복하고 신날 줄 알았다. 하지만 행복한 날보다 속상한 날이 더 많다. 사랑만 있으면 어떤 어려움도 이겨낼 수 있으리라 생각했지만 남편과는 사랑이 아닌 우정으로 살아간다. 시부모님과는 친정 부모님처럼 지낼 수 있을 것 같았지만, 작은 잔소리에도 서러움에 친정 엄마 생각이 나는 건 어쩔 수가 없었다.

결혼을 하면 아이는 당연히 낳는 것인 줄 알았지만 육아가 이렇게 힘든 것인지 몰랐다. 아이를 출산하고 난 후의 생활은 전혀 각본에 없었던 것이다. 자고 싶을 때 잘 수 없었고, 먹고 싶을 때 먹을 수 없었다. 나의 의지대로 되는 것보다 되지 않는 것이 많았다. 하지만 아이는 나를 대신해 봐줄 사람이 없었다. 아이는 온전히 내 몫이었던 것이다. 잠도 포기하고, 식사는 대충 물에 말아서 후루룩 마시듯 먹었다. 오늘 세수를 했는지 안 했는지 기억이 나질 않았고, 아이가 흘린 밥풀을 어느새 내 입으로 가져가고 있다. 어제가 오늘 같고, 오늘이 내일 같은 생활이 이어졌다. 며칠인지, 무슨 요일인지 생각나지도 않고 또 생각할 필요도 없는 하루가 반복된다.

이렇게 지내는 것이 소소한 행복일까? 내가 이런 행복을 위해 그렇게 치열하게 20대를 살아왔던 것일까? 예전의 꿈 많고, 당당하고 열정적이던 나는 어디로 갔을까? 잠든 아이의 모습을 바라보고 있자니 행복함에 가슴이 저려 오지만, 어느 날인가부터 혼란스럽기 시작한다.

'평범하게 사는 게 행복이야', '아이들 잘 키우고 남편 뒷바라지 잘하고 화목한 가족이 행복이지, 사는 게 별거 있나?'라며 애써 위안을 삼아본다. 하지만 봄 햇살에 화려한 꽃길을 걷다 보면, 라디오에서 예전에 좋아하던 노래가 흘러나오면, 가을에 낙엽이 떨어지는 것을 바라보다 보면 울컥하고 가슴속에서 뜨겁게 무언가가 치밀어 오른다.

02

멈춤일까?
휴식일까?

최근 많은 사람들이 아무리 쉬어도 피곤이 풀리지 않는다고 하소연한다. 대부분의 사람들이 피로와 무기력은 바쁜 삶의 피할 수 없는 부작용으로 받아들인다. 《내 몸이 새로 태어나는 시간, 휴식》의 저자 매튜 에들런드 박사는 효율적인 휴식만이 현대인들의 만성적인 피로와 무기력을 씻어 낼 수 있다고 이야기한다. 휴식을 취했을 때 얻는 해택은 우리가 상상할 수 있는 이상이다. 바쁘고 시간이 없을수록 진정한 휴식으로 우리 몸 안의 고유한 힘을 깨우는 것이 무엇보다 중요하다.

지금 당신이 보내고 있는 시간은 인생의 어떤 시간일까? 달리고 있는 시간일까? 성장의 시간일까? 휴식의 시간일까? 이것도 저것도 아니라면 멈추어 버린 걸까? 결혼, 혹은 임신, 출산과 동시에 대부분의 여성들은 '멈춤의 시간' 속에 갇혀 버린다. 성장을 하려면 목표가 있어야 한다. 뛰기 위해서는 열정과 에너지가 있어야 하고, 휴식을 위해서는 다시 일어설 목적이 있어야 한다. 하지만 여성들에게 30대는 가슴속의 목표를 애써 외면하고, 다른 사람을 위해 나를 헌신하는 시간으로만 여겨진다.

대부분의 여성들이 이 시간만 견디자는 심정으로 빨리 지나가기만을 바란다. 그래서 그들에게 있어 30대는 멈춤으로 여겨질 수밖에 없다. 하지만 작은 마음의 변화만으로도 지금 당신이 보내는 하루를 '멈춤'이 아닌 '휴식'의 시간으로 변화시킬 수 있다.

첫째 아이를 낳은 후 친정 부모님의 도움으로 직장을 다녔다. 조금 피곤하거나 회식이 있으면 아이를 친정에서 재웠다. 아이를 부모님께 맡기고 가끔 쇼핑도 하고 남편과 영화를 보러 가기도 했다. 부모님께 죄송하기는 했지만 이 정도는 해줘도 된다고 생각했다. 하지만 둘째가 태어나면서 상황이 180도로 바뀌었다. 두 아이를 부모님께 맡기려고 하니 죄송스러웠다. 큰 아이를 보느라 늙어버린 부모님께 둘째까지 부탁할 수 없었다. 또한 두 아이를 맡기고 출근해봤자 내가 버는 돈을 아이들 양육비와 차비로 쓰고 나면 남는 것도 없다는 생각에 휴직을 결심하게 되었다.

'내가 두 아이를 직접 키우고 좀 아껴 쓰면 되지 뭐', '아이가 어렸을 때는 엄마가 키워야 한대'라고 위안을 삼으며 전업맘이 되었다. 10년 만에 처음으로 쉰다는 생각에 육아와 살림이 힘들지도 모른다는 두려움보다는 그동안 못했던 것을 할 수 있다는 의욕이 앞섰다. 운동도 다니고, 공부도 하고, 책도 보고, 잠도 실컷 자고, 둘째와 문화센터도 다니고, 요리 실력도 늘리고, 그동안 못 만났던 친구들도 만나면서 시간을 보낼 수 있다는 기대에 부풀었다. '휴식'을 갖기로 하고 시작한 육아의 시간이 '멈춤'으로 가는 데는 단 한 달도 걸리지 않았다.

일주일도 되지 않아 집은 난장판이 되기 시작했고, 기본적인 의식주를 해결하는 것이 하루의 목표가 되었다. 빨래는 개지 못해 거실 한쪽에 산더미처럼 쌓여 있었고, 싱크대에는 항상 설거지거리와 젖병으로 가득했다. 큰 아이 저녁을 챙겨 먹이고 작은 아이 이유식과 우유를 먹이고 나면 2시간이 지나갔다. 나도 저녁을 먹어야 했지만 그것보다는 눕고 싶은 생각이 절실했다. 딱 하루만 아이들이 없는 세상에서 살고 싶다는 '꿈'이 생겼다.

큰 아이를 어린이집에 데려다 주고 둘째 아이와 함께 집에 있다 보면 한 것도 없는데 어느새 큰 아이가 돌아올 시간이 다가왔다. 12시에 종이 울리는 것을 초조해하는 신데렐라처럼 매일 4시가 가까워 오면 불안하고 초조해졌다. 전쟁 같은 하루의 시작을 알리는 알람 4시. 그렇게 아이들과 살림에 치이다 보니 희망과 열정은 이미 사라져 버리고 한숨과 짜증, 불만이 쌓이기 시작했다. 꿈도 목표도 희망도 없이 살아가는 생활은 끝이 보이지 않는 캄캄한 동굴에서 길을 잃어버린 느낌이었고, 시간이 지날수록 육아와 살림에 점점 더 지쳐갔다.

아이들과 함께하고 싶어 회사를 쉬고 있는 것인데, 오히려 아이들에게 화를 내고 짜증을 냈다. 일이 바쁜 신랑이 원망스러웠고 행복하게 해주겠다는 말을 믿고 결혼을 한 내 자신이 한심하기 짝이 없었다. 남들은 잘만 키우는 것 같은데 '나는 육아 지진아인가?' 하는 생각이 들면서 자신감도 없어지고 소심해져갔다.

어느 순간 나를 돌아보니 왜 이러고 사나 싶은 생각이 들면서 우울함이 밀려왔다. 결혼과 출산이 후회스러웠고 육아에 회의감이 들었다. 아이들이 사랑스럽다가도 몸이 지치고 힘들 때면 원망스러웠다. 그러던 어느 날 갑자기 내면에서 이런 소리가 들렸다.

'아이들은 가장 사랑을 받아야 하는 시기인데 미워하고 있다니, 차라리 출근을 해! 너 진짜 한심하다. 남들 다 하는 건데 왜 그렇게 징징거려? 힘들다고만 생각하지 말고, 이왕 할 거 즐기면서 해봐!'

순간 망치로 한 대 맞은 것처럼 머리가 띵했다.

"내가 원래 이렇게 불만 많고 힘들다고 툴툴거리는 사람 아니잖아. 남들이 안 된다고 했던 것들도 해냈었잖아. 그런데 남들 다하는 육아와 살림을 못할 게 뭐 있어? 그래 해보자."

그때부터 변하기 시작했다. 힘들다고 후회하고 원망만 하고 있을 수만은 없었다. 내게 주어진 것을 피할 수 없다면 즐기기로 했다. 아침에 아이들 핑계로 늦잠 자지 않고 항상 일정한 시간에 일어나기로 했다. 설거지는 미뤄두지 않고 생길 때마다 했다. 멍하니 TV 보던 시간을 줄이고 아이들과 놀아주려고 했다. 몇 개월간 미뤄두었던 집 정리도 하고, 둘째를 데리고 외출도 했다. 상황은 변한 것이 아무것도 없었다. 그저 내 마음 하나만 바뀌었을 뿐이었다.

아이들 때문에 쉬지 못한다는 생각을 내려놓았다. 아이들이 크면 이 시간은 돌아올 수 없다고 생각하니 아이들과 함께 하는 순간순간이 소중해졌다. 마음을 바꾸자 아이들과 놀아주는 것을 즐길 수 있었다. 아이들을 잘 키우고 싶어 육아서를 읽기 시작했고, 지치고 힘들 때마다 위안을 받을 수 있었다.

마음이 부정적이었을 때는 '이건 책이니까 가능한 거지, 애들이 어떻게 다 같을 수가 있어?'라고 생각했었다. 하지만 '아이들과 행복해지고 싶다'는 마음으로 하나씩 실천해보니 정말 아이들이 즐겁게 반응해 주었다. 조금씩 일상에서 행복을 발견하기 시작했고, 끝도 보이지 않던 어두운 동굴 속에서 한줄기 빛을 발견한듯 희망이 조금씩 마음속에 자라나기 시작했다. 그렇게 나의 행복육아는 '책 사랑'에서 시작되었다. 드라마를 보는 시간을 줄이고, 잠자는 시간을 줄여 책을 읽기 시작했다.

결혼을 하고 살림하고 아이를 키우면서 살아가면서 여자들에게 더 이상의 성장은 없다고 생각했다. 남들처럼 적당히 살면 다인 줄 알았는데, 어느 순간부터는 그렇게 살고 싶지 않다는 생각이 들기 시작했다. '나도 더 당당한 사람이 될 수 있지 않을까?'라는 생각이 들었고, 60세가 되었을 때 왜 이렇게밖에 살지 못했는지 후회하고 싶지 않다는 작은 꿈이 생겼다.

아이와 함께 나이만 먹어갈 것이 아니라 아이와 함께 성장하고 싶었다.

어른이 된 아이들 옆에 멋지게 성공한 나의 모습을 상상해 보았다. 성공한 나의 모습을 상상하는 것이 쑥스럽고, 민망해서 웃음도 났지만, 가슴속 뭉클한 무엇이 나를 움직였다. 무엇을 해야 할지, 무엇을 하고 싶은지도 모른 상태에서 변화를 위한 시작은 성공한 나의 모습을 상상하는 것으로부터 시작되었다.

수확철에 한 농부는 한시도 쉬지 않고 열심히 벼를 벴고, 다른 한 농부는 일하는 중간 중간에 쉬면서 벼를 베었다. 과연 누가 더 많은 벼를 베었을까? 바로 중간 중간에 쉬면서 일을 했던 농부였다. 조금도 쉬지 않고 일했던 농부는 도무지 이해가 되지 않아서 그 비결을 물었더니 이렇게 답했다고 한다.

"나는 쉬는 동안에 무뎌진 낫을 갈았다네."

학창 시절 일찍 자고, 공부도 그렇게 열심히 하는 것 같지 않은데 성적이 잘 나오는 친구가 있다. 반대로 공부하는 시간에 비해 성적이 안 좋게 나오는 친구도 있었다. 무작정 오랫동안 열심히 일한다고 해서 그 결과가 항상 좋으리라는 법은 없다.

책상 앞에 앉아 있는 시간과 성적이 비례하는 것이 아니듯, 멈춤 없이 달려간다고 해서 항상 골인 지점에 먼저 도착하는 것은 아니다. 지금 나의 모습이 우수한 경력을 쌓으며 멋지게 사는 여성들과는 거리가 있어 보일 수도 있다. 지금 다시 사회생활을 시작한다 해도 한창이나 뒤떨어졌을 거란 생각에 차마 다시 사회로 나가기가 부담스럽기도 할 것이다. 하지만 내가 처한 상황에서 할 수 있는 최선을 다한다면 그것은 농부가 쉬면서 낫을 갈듯 효율적인 휴식시간이 될 것이다.

나에게 낫을 간다는 것은 무슨 의미일까? 그것은 당장 무엇인지 눈에 보이지 않더라도 생활의 작은 변화를 주는 것이다. 규칙적인 하루의 일과를 만들고, 요일마다 정해진 스케줄을 만들어 하루를 알차게 보내는 것으로부터 낫을 갈 준비는 시작된다. 일주일에 한 권의 책을 읽고, 일주일에 두 번 운동을 하고, 새로운 요리를 도전해 보는 것으로 이미 준비는 하고 있는 셈이다. 그렇게 멈춤을 휴식으로 바꾸는 순간부터 당신의 10년 후 모습은 조금씩 변하게 될 것이다.

03

능력이 있어도 필요로 하는 곳이 없다면

얼마 전 나보다 열 살 정도 많은 지인을 만났다. 아이들이 중·고등학생이라 낮에 집에 있는 시간에 아이들 학원비라도 벌겠다며 일할 곳을 찾는다고 했다. 성격도 내성적이고 말도 별로 없는 분이라 무엇을 해야 할지 걱정이라며 푸념을 늘어놓았다.

"결혼하기 전에는 무슨 일 하셨어요?"

"나? 그림 그렸어. 애니메이션."

"진짜요? 그림 잘 그리시나 봐요. 그럼 그쪽에 관련된 일을 한번 찾아보시지 그래요?"

"요즘은 손으로 그림 안 그려. 다 컴퓨터로 하지. 다시 그 일을 하려면 컴퓨터부터 배워야 해. 이 나이에 일하려고 하니 뭐 하나 쉬운 게 없네."

그분과 헤어져 돌아오는 길에 생각해 보니 그렇다. 과거 내가 배운 기술과 능력만으로 일을 찾는다는 것이 10년 이상 아이들만 키운 주부들에게는 쉽지 않다. 아니 불가능에 가깝다. 오죽하면 경난녀(경력 단절 여성)이라는 말이 나왔을까?

결혼과 출산, 육아로 인해 경력이 단절된 여성들이 다시 무언가를 시작하는 것이 쉽지 않다. 지금처럼 기술이 빠르게 발전하면서 하루하루가 다르게 변화하는 상황에서는 1년을 쉬고도 다시 일에 적응하는 것이 쉽지 않은데, 10년을 쉬었다 다시 사회로 나가는 것이 결코 쉽지 않은 것은 사실이다. 하지만 어렵다고 해서 시도조차 하지 않는다면 시간이 지날수록 힘들어질 수밖에 없다.

여성들이 다시 사회로 나가기 위해서 어떤 것을 할 수 있을지 찾다보면 어쩔 수 없이 과거에 가지고 있던 경력과 스펙, 경험에 비추어 찾으려고 하는 경향이 많다. 하지만 30대에 나를 찾기 위한 첫 여정은 과거로부터 벗어나는 것이 제일 우선이다. 백지 상태에서 새로운 것을 배워서 채우는 것이 훨씬 빠르기 때문이다.

'선무당이 사람 잡는다'는 속담이 있다. 어설프게 아는 사람이 일을 그르칠 때 쓰는 말이다. 수영강사들이 가르치기 가장 힘들어 하는 사람이 수영할 줄 아는 사람이라고 한다. 혼자 익혀서 수영할 줄 아는 사람들은 몸에 밴 습관이 자기도 모르게 자꾸 튀어나온다. 처음부터 다시 배우겠다는 마음을 갖지 않으면 새롭게 자세를 익히는 것이 더 어려울 수밖에 없다. 수년 동엔 몸에 밴 습관이 새로운 자세를 익히는데 방해가 되기 때문에 차라리 물에 뜨지도 못하는 사람을 가르치는 것이 더 수월하다는 것이다.

이처럼 여성들에게 과거의 화려함과 높은 스펙은 오히려 30대에 새롭게 무언가를 시작할 때 장애가 될 수 있다. 경력이 단절되기 전 나의 능력은 이제 쓸모없음을 인정해야 한다. 모든 것을 새로 배우겠다는 마음을 먹어야 그 어떤 것도 시작할 수 있음을 기억하자.

능력은 머무는 사람에게 남아 있지 않다. 흐르는 물에 이끼가 끼지 않듯이 나의 몸과 마음을 항상 흐르는 물처럼 유지하려고 해야 한다. 새로운 것은 받아들이고, 오래된 것은 흘려보낼 줄 알아야 한다. 하지만 30대가 되어 가정이 생기고 책임져야 하는 아이들이 생기면 새로운 것이 들어오는 것에 대한 불확실성 때문에 오래된 것을 흘려보내지 못한다. 더 많은 것을 내보내고, 더 많은 것을 받아들일수록 수로는 넓어지고 물은 깨끗해진다.

2년 전쯤 주말마다 가족들을 TV 앞으로 끌어당기게 했던 드라마 〈넝쿨째 굴러온 당신〉은 45%라는 경이적인 시청률 신기록을 세웠다. 절대 시집살이는 하지 않겠다며 '능력 있는 고아'를 이상형으로 당당히 이야기하는 여자 주인공 차윤희. 그런 그녀에게 시댁이 갑자기 넝쿨째 굴러 들어오게 되면서 갈등은 시작되었다. 어디서나 항상 당당하던 그녀는 시댁 식구들 앞에서는 주눅이 들었고, 완벽했던 그녀의 회사생활은 시집살이로 엉망진창이 되어 버린다.

아이를 위해 희생할 자신이 없었던 그녀는 처음부터 아이를 갖지 않겠다고 선언했다. 하지만 원치 않는 임신을 하게 되었고 입덧을 하자 "이 조그만 게 벌써부터 나를 힘들게 하네"라며 아이 탓을 했다. 결국 아이는 유산이 되었고, 그녀는 자신이 아이에게 했던 말을 떠올리며 오열을 했다. 그런 과정 속에서 그녀는 예전에는 알지 못했던 가족의 의미를 알아가기 시작한다.

"나, 나중에 우리 애 데리고 오면 아침에 유치원 데려다 줘야 해서 오전 촬영은 미스들이 맡아줘. 주말에 남편, 시댁 식구들 다 있으니까 자기들 대신 내가 촬영 나갈게."

그녀는 시댁 식구들이 생기고 임신하기 전에는 집안일로 업무에 지장을 주는 여성들을 이해하지 못했다. 그런 그녀가 상대방의 입장이 되니 그들을 이해하게 되고, 육아냐 일이냐를 선택하기보다는 현명하게 해결하기 위한 연합군을 결성하고 있는 것이다.

"요즘 경단녀라 그런다면서. 경력 단절녀. 요즘 여자들이 결혼, 임신, 출산 이런 거에 치여서 자기 경력 단절시킨다더라. 내가 뭐 여권운동가도 아니고 그런 거 잘 모르겠지만, 내가 겪어보니까 이런 건 아니지 싶더라. 자기들도 그런 거 무서워서 결혼 못하고 있는 거잖아.

어쩌겠냐. 우리의 능력은 출중하지만 이 사회가 발맞춰 따라와 주지 않는 걸. 그래서 우리끼리라도 서로 돕자고 해서 모인 거다. 아! 그리고 편집실

하나 빌 것 같다고 해서 사장님한테 여자 휴게실 만들어 달라고 이야기했다. 나중에 휴게실 겸 수유실로 쓰자. 해볼 때까지 해보자고!"

일과 육아라는 두 마리 토끼를 모두 잡기 위해 여성 직장 동료들과 합심하는 모습이 그려졌다. 차윤희는 가족과 아이의 소중함을 알기 전에는 당당하지만 까칠한 여성이었다. 일은 잘하지만 다른 사람들을 수용하거나 받아들이는 부분에서는 부족했다. 하지만 시댁과의 갈등을 극복하고 조화롭게 지내기로 마음을 먹으면서 세상의 다른 부분을 바라보게 되었다. 아이는 내 인생의 걸림돌이라고 생각했지만 막상 유산을 하게 되자, 그 상실감은 생각보다 자신을 많이 흔들어 놓았다. 그로 인해 그녀는 전에는 알지 못했던 삶의 다른 면을 바라볼 수 있었다.

경단녀가 되었든 워킹맘이 되었든 결혼과 출산은 여성에게 있어서 인생의 큰 전환점이 된다. 또한 그로 인해 여성들은 과거에는 경험하지 못한 '성장'의 시간을 보낸다. 하지만 대부분의 사람들은 과정을 성장으로 바라보지 못한다. 그 시간들은 과거의 화려한 스펙보다 훨씬 큰 능력이 되어 나의 미래를 바꿀 수 있다는 것을 알고 있는가?

동네에 잘 가는 커피숍이 있다. 아침마다 아이들을 어린이집과 학교에 보내고 그곳에서 종종 들러 신문을 보거나 책을 읽곤 한다. 오전이라 손님이 많지 않아서 자주 들르는 내게 사장님이 이런저런 이야기를 하시곤 했다. 어느 날, 아르바이트생 구하는 것이 너무 어렵다며 일할 사람 좀 소개해 달라고 부탁을 하셨다.

"사장님, 그러면 아줌마를 구해보시는 건 어때요? 아이들 유치원 보내고 오전부터 3시 정도까지는 일할 사람 많을 텐데……."

나의 조언에 사장님은 선뜻 내켜하지 않으셨다. '아줌마' 하면 떠오르는 이미지를 먼저 떠올리셨기 때문이다. 커피숍에는 왠지 20대의 여성이나, 훤칠한 남성이 있어야 좋을 것 같다는 생각을 하셨을 것이다. 그동안은 계속 그런 사람을 아르바이트생으로 구했기에 '아줌마 아르바이트생'은 낯설게 느껴졌을 것이다. 사람을 구하기가 어려웠는지 결국 아줌마 아르바이트생이 새로 들어왔다. 일주일 후 사장님은 내게 이렇게 이야기를 하셨다.

"이제부터는 아줌마 아르바이트만 써야겠어요."

"왜요? 괜찮아요?"

"일을 진짜 잘해요. 내가 할 일이 없다니까요."

대학생들이나 20대의 아르바이트생보다 30대의 여성들이 훨씬 일을 잘한다는 것이었다. 20대의 학생들은 아르바이트를 지나가는 곳으로 생각한다. 그래서 적당히 시간만 때우고 가기 때문에 책임감을 가지고 일을 하지 않는다. 무슨 일만 있으면 못 나온다고 하고, 조금만 힘들면 관두려고 한다.

하지만 그분의 경우 5년 동안 집에서 살림만 하고 아이를 키우다가 다시 일을 시작하니 활기가 생기고 일하는 것이 너무 즐겁다고 한다. 청소와 설거지도 시키기 전에 먼저 알아서 하고, 30분 일찍 나와 커피 내리는 법도 배운다고 한다. 30대에 시작한 새로운 배움이 삶의 활력이 된 것이다. 그분도 아마 20대에 그곳에서 아르바이트를 했더라면 그렇게 열심히 즐기면서 하지 못했을 것이다.

이처럼 여성들에게 있어서 결혼과 육아는 세상을 바라보는 관점을 바꿔준다. 또한 그동안 당연하게 받은 것들에 대한 소중함을 상기시켜 주는 역할을 하고, 전에는 알지 못했던 책임감을 끌어내주기도 한다. 모든 사람들에게 주어지는 24시간을 여성들은 자신을 위해서 모두 쓸 수 없다. 나의 시간이지만 마음대로 쓸 수 없는 시간이기에 쪼개서 쓸 수밖에 없고, 그로 인해 당연히 주어졌던 24시간의 소중함을 알게 된다.

아이가 생겨 부모의 입장이 되어보니 부모님의 감사함을 알게 되고, 상대방의 입장에서 생각하는 법도 배우게 되었다. 아이들이 나를 보고 자란다는 생각에 올바른 본보기가 되어야 한다는 의무감도 생긴다. 나 혼자라면 하지 않았을 행동들, 하지만 내가 책임져야 할 아이들과 가족이 있기에 기꺼이 매일 살아내는 여성들.

이런 삶의 태도에 대한 변화는 당신이 생각하는 이상의 가치를 가지고 있다. 그 변화가 성장임을 깨닫고, 앞으로 살아갈 시간 속에서 어떻게 키워내느냐에 따라 10년 후 당신의 미래는 바뀔 것이다.

04

20대에 알았으면 좋았을 것들

요즘 예능 프로그램은 리얼리티가 대부분이다. 아빠들의 육아 이야기, 군대에서 훈련받는 이야기, 혼자 사는 이야기, 무인도에서 살아남기, 가상결혼 이야기 등 실제 상황에서 생기는 에피소드를 중심으로 만든 프로그램 홍수 시대이다. 며칠 전 그런 예능 프로그램 중 하나인 〈오늘부터 출근〉을 보았다. 연예인들이 신입사원이 되어 대기업으로 출근하면서 겪는 스토리를 엮은 프로그램이다.

조직사회에서 일해 본 적이 없는 연예인이라 대중교통을 타고 서울역에 있는 회사까지 출근하는 것조차도 웃음의 소재가 되었다. 신입사원으로 출근한 첫날, 20대부터 40대 연예인 신입사원들은 무엇 하나 편한 것이 없다.

주어진 일은 없고, 눈치만 보이고 무엇을 해야 하는지 불편해 죽을 것만 같다. 고객에게 택배 수백 개를 보내고, 비품 창고를 정리하고, 생수통을 교체하는 것이 그들에게 주어진 업무였다. 아무것도 하는 일 없이 자리만 차지하고 앉아 있는 것이 오히려 더 고충인 신입사원들. 회사에 입사하면 모든 것이 다 해결될 것 같았는데, 시키는 일만 하다 보니 남들보다 뒤처지는 것 같지만, 무엇을 해야 할지 도무지 감이 잡히질 않는다.

회사에 입사하여 신입사원이 되기 전까지 대부분의 청춘들은 내비게이션을 보고 운전하는 운전자들처럼 목적지를 설정하고 시키는 대로 길을 찾아갔다. 하지만 정작 그곳에 온 목적을 알지 못한다. 그 목적지를 내가 정한 것이 아니라 사회가 설정해 놓은 것이기 때문이다. 왜 그곳으로 가야 하는지, 그곳에 가서 무엇을 해야 하는지도 모르고 그저 남들이 가니까 출발했고, 경쟁자들보다 빨리 도착해야 한다는 생각에 앞만 보고 달렸다.

원하던 목적지에 드디어 도착했다. 하지만 그곳에서 무엇을 해야 할지, 그리고 다음에는 어느 곳으로 가야 할지 알 수 없다. 하지만 그 끝에 무엇이 있는지 몰라도 지금껏 그랬듯이 다수가 가는 쪽이 옳은 길이라 생각하고 무작정 따라간다. 그들이 뛰면 뛰었고, 그들이 쉬면 나도 잠깐 쉬면서 그들을 따라 계속 갔다.

부모님이 알려주신 이 길에 무언가가 있을 것이라 믿었다. 학창 시절 선생님도 말씀하셨다. 성공하려면 저 길을 가야 한다고. 남들보다 빨리 가는 것이 성공이라고 말이다. 그러다 앞의 무리가 멈추었다. 왜 멈추었는지, 그

앞에 뭐가 있는지는 모른다. 무엇을 해야 하는지는 모르지만 한 가지는 명확하다. 이미 너무 먼 길을 왔다는 것. 그리고 돌아가는 방법은 아무도 알려주지 않았다는 것을 말이다.

캐나다의 로키산맥 산자락에는 세계 유네스코 문화유산으로 지정된 헤드 스매시드 인 버팔로 점프head smashed in buffalo jump라는 곳이 있다. 이곳은 원주민들이 들소를 절벽으로 유인하여 떨어뜨려 사냥하는 곳으로 5000년이 넘는 역사를 가지고 있다고 한다. 원주민들은 사람보다 무겁고 난폭한 버팔로를 사냥하기 위해 그들의 습성을 이용했다.

무리 지어 생활하는 버팔로는 놀랐을 때 고개를 숙인 채 무조건 앞으로 달려 나가는 습성이 있다. 그래서 원주민들은 앞서가는 버팔로를 놀라게 하여 달리도록 한다. 그러면 무리 지어 있는 다른 버팔로들은 이유를 모른 채 무작정 달리기 시작한다. 왜 뛰는지, 어디를 향하는지도 알 수 없다. 그저 앞선 동료들이 뛰기 때문에 무작정 뛰고, 옆에 동료보다 더 빨리 뛰기 위해 기를 쓰고 뛴다. 그러다 앞선 버팔로가 절벽을 발견하고 멈추려 하지만 뒤에서 밀려오는 다른 버팔로들에게 밀려 낭떠러지로 떨어진다. 그렇게 고개를 숙인 채 무작정 달리던 버팔로 수천 마리는 낭떠러지에 떨어져 죽거나 다리가 부러진다.

이렇게 인디언들은 버팔로를 사냥했다. 5000년이 넘는 세월 동안 버팔로를 유인하기 위해 사용된 낭떠러지가 바로 '헤드 스매시드 인 버팔로 점프'인 것이다.

우리의 일생도 이와 같지 않을까? 유유히 풀을 뜯고 있는데 저 앞의 무리가 뛰기 시작했다. 왜 뛰는지 묻지도 않고 주위를 둘러볼 틈도 없이 남보다 뒤처지면 안 된다는 생각에 무작정 뛰기 시작했다. 뛰면서도 왜 뛰는지 옆 사람에게 물어도 그도 알지 못했다. 이유는 알지 못했지만 옆 사람보다 뒤처지면 안 된다는 것은 알았다. 그래서 더 열심히 뛰었다. 정신을 차렸을 때 내 앞에 놓인 것은 끝이 보이지 않는 낭떠러지였다. 하지만 멈출 수가 없었다. 달려가는 속도를 멈출 수도, 뒤에서 밀려오는 다른 사람들을 막을 수가 없었다.

남들보다 늦게 뛴다고 해서 큰일 나지 않는다. 빨리 뛰어 봤자 그저 낭떠러지에 일찍 도달했을 뿐이다. 만일 뛰는 목적을 모른 채 뛰고 있다면 고개를 들어 주변을 한번 살펴보자. 나는 지금 무엇을 위해 뛰는 것인가? 어디를 향해 가고 있는가? 그리고 그곳에 도달하면 무엇을 할 것인지를 생각해 보고 출발해도 늦지 않다.

얼마 전 모 대학에 경영학과 교수로 재직 중인 지인 분에게 들은 이야기이다. 그분은 학교 내에서 취업동아리 지도교수를 맡고 있어서 학생들의 부모들을 만날 기회가 많다고 한다. 대부분의 부모들은 교수님께 이렇게 물어본다고 한다.

"우리 애가 은행에 들어갔으면 좋겠는데 지금부터 무엇을 준비해야 할까요?"

질문을 받은 교수님은 그런 질문에 참 씁쓸하다고 한다. 왜 그것을 부모가 학교까지 와서 교수에게 묻는 걸까? 자식을 위하는 마음이야 백번 이해한다고 하지만 그것이 정말 자식을 위하는 방법이라고 생각하는 걸까?

태어나서는 부모님의 보호 아래 풀을 뜯었다. 습격을 받으면 부모님이 큰 몸으로 막아 주셨다. 몸집도 커지고 이제 성인이 돼서 혼자 해야 할 때가 다가오자 부모님이 이렇게 당부하셨다.

"남들이 뛰면 너도 뛰어. 옆 사람보다 빨리 뛰면 돼. 남들이 뛰는 건 이유가 있어. 뒤처지면 안 되니까 우선 뛰고 봐."

20대에는 부모님이나 선생님이 한 말이 전부인 줄 알았다. 여자는 남자 잘 만나서 결혼하고 아이들 건강하고 화목하면 그만이라고 했다. 하지만 그것을 행복이라고 여기기엔 이미 세상은 너무도 많이 변했다. 고개를 돌리면 더 행복한 사람들 이야기가 들렸다. 내가 가진 것을 행복이라고 여기면서 위로하기에는 남은 시간이 너무 길었다.

물질이 풍부해지고 정보가 넘치다 보니 행복의 기준이 점점 더 높아진다. 부모님 말을 듣지 않아 성공한 사람이 더 많고, 대학 졸업장 없는 젊은이들이 세계의 경제를 흔들고 있다. 부모님 말씀대로라면 지금쯤이면 내 집도 있고, 아이들도 공부 잘하고, 난 행복해야 하는데 조금씩 상상했던 것과는 다른 나의 현실이 보이기 시작한다. 크고 작은 걱정들로 하루가 가득 차 있고, 내가 이 상황을 바꿀 수 없다는 현실에 숨이 막힌다. 돈을 많이 벌어주지 않는 남편이 원망스럽고, 왜 나에겐 부자 친정이 없는지 한숨도 쉬어본다. 남편의 월급 30%를 아이들 교육비로 쏟아보지만 아이들 성적은 오를 기미가 없어 더 비싼 과외를 해야 하는지 고민이다.

끝이 없는 뫼비우스의 띠처럼 어디가 잘못된 건지 모를 때는 잠시 멈추고 내가 왜 뛰는지 생각해보자. 무엇을 위해 뛰고 있고, 끝이 없을 것 같은 고민의 원인부터 찾아야 한다. 행복하지 않다면 내가 바라는 행복은 어떤 것인지 진지하게 생각해 보아야 한다. 지금껏 뛰던 속도로 계속해서 달리기만 한다면 변하는 것은 없다. 잠시 멈추고 내가 진정으로 원하는 삶은 어떤 것인지 생각할 시간을 가져보자. 그렇게 무리에서 한 발 떨어져 보면 낭떠러지로 떨어지는 무리 속에서 이탈할 수 있을 것이다.

예전에 50대의 지인이 나에게 이런 말을 했다.

"30대에 놀면 50대가 힘들어. 40대까지는 그렇게 표시가 안 나는데 50대가 되면 30대를 어떻게 보냈는지에 따라 삶이 달라져. 지금의 삶이 그대로 갈 것 같지? 절대 아니야. 지금 뭐라도 준비해놔."

대기업을 다니던 그분의 남편은 한창 일할 때인 30대 후반에 IMF로 인하여 명예퇴직을 했다. 이후 그분은 집안 생계를 위해 안 해본 일이 없다. 남편이 회사에 다니면서 월급을 꼬박꼬박 가져다 줄 때는 아이들을 학교에 보내고 집에 돌아와 낮잠을 잤다고 한다. 자고 일어나면 3시. 아무것도 한 것 없이 아이들은 돌아오고 그렇게 하루를 보내는 생활을 했다. 하지만 벼랑 끝에 내몰린 상황에서 낮잠만은 자고 있을 수 없어 손에 잡히는 일은 무엇이든 할 수밖에 없었다. 요구르트 판매도 해보고, 가게도 해보고, 주식도 하고, 보험 영업도 하면서 20여 년간 쉼 없이 달린 결과 지금은 50대에 안정적인 생활을 하고 있다. 그분은 내게 이렇게 이야기한다.

"그때 만약 남편이 회사를 계속 다니다가 50대에 명예퇴직을 했으면 지금의 나는 없을 거야. 50대가 되어서 30대처럼 그렇게 살라고 했으면 못할 것 같아. 그러니까 자기도 남편만 믿지 말고 한 살이라도 젊었을 때 뭐라도 알아봐!"

그녀는 남편의 실직으로 30대에 버팔로 무리에서 떨어져 나왔다. 처음에는 나만 혼자인 것 같아 불안했지만, 막상 무리에서 빠져나오니 더 나은 삶을 살 수 있게 되었다.

만약 20대에 남들이 가는 대로 가지 않아도 된다는 것을 알았다면 30대는 이토록 흔들리지 않았을 것이다. 20대는 원래 힘들다. 가진 것도 없고 할 수 있는 것도 없다. 유일하게 가진 것이라고는 젊음과 시간뿐이다. 무엇이라도 시작할 수 있고 실수해도 용납되는 나이. 20대는 실패해도 다시 일어날 시간이 있다. 하지만 그때는 그것을 알지 못했다. 20대에 성공하지 못하면 인생에서 실패한 것처럼 초조했고, 나보다 앞서가는 사람들은 부러워하기만 했다.

20대에 성공하지 못한 것이 인생의 실패를 의미하지 않는다. 오히려 20대의 실패는 인생이라는 긴 여정의 튼튼한 바람막이가 되어준다. 지금 당신이 산들산들 불어오는 바람에도 이리저리 흔들리고 있다면 20대에 만들어야 할 바람막이를 만들지 않아서다. 지금까지 부모님과 남편이 그 역할을 대신해 주었다면, 지금은 스스로 바람막이를 만들어야 한다. 아무리 강한

태풍이 불어도 스스로 이겨낼 수 있는 강인함을 길러 앞으로 남은 인생의 여정을 당당히 준비해보자.

05

낯선 사람에게서 나를 발견하다

케이블 방송에 노총각 아들을 장가보내기 위해서 엄마가 나서서 공개적으로 구혼하는 프로그램이 있었다. 아나운서인 노총각 큰아들을 기필코 결혼시키겠다며 두 팔 걷고 나온 어머니는 방송을 통해 미래의 며느리가 될 사람에게 손주들의 교육비 일체를 책임지겠다는 공약을 내걸었다. 그분은 두 아들을 키우면서 항상 새벽 4시에 일어나 따뜻한 밥을 해주고 매일 수삼을 밥에 올려 주었다며 귀하게 키운 아들임을 강조했다. 그렇게 정성으로 두 아들을 키웠다며 이런 아들이기에 손주들의 교육도 자신이 책임을 지겠다고 힘주어 마무리를 하였다.

역시 아들의 어머니들은 어쩔 수가 없나 보다. 며느리의 입장에서 본다면 그렇게 정성스럽게 키운 아들을 남편으로 맞고 싶지 않는데 말이다. 시어머니가 되면 그렇게 키운 아들이 남의 남편이 되는 것을 인정할 수 있을까 싶다. 그런 자리의 며느리가 된다는 것은 부담스러울 수밖에 없다는 것을 같은 여자인 시어머니들은 모르는 걸까? 그들은 원래 시어머님의 성향을 가진 사람들이었을까? 아니면 '아들의 어머니'라는 자리가 사람을 그렇게 만드는 걸까?

얼마 전 아들을 결혼시켰다는 한 연예인이 토크쇼에 나왔다. 결혼한 아들에게 아침에 안부 차 전화가 왔는데 가장 먼저 이런 질문이 자기도 모르게 튀어나왔다고 한다.

"아침은 먹었어? 뭘 먹었어?"

엄마의 질문에 아들은 이렇게 대답했다.

"그냥 냉장고에 있는 밑반찬으로 대충 배만 채웠어요."

"내가 어떻게 키운 아들인데 대충 먹여? 얘(며느리)는 대체 뭐하는 거야?"

자신도 모르게 며느리에게 화를 내고 있었다. 신혼 시절 고된 시집살이로 고생을 많이 한 그녀는 '나는 며느리가 생기면 절대 그러지 말아야지'라고 다짐했었다고 했다. 하지만 시어머니가 했던 행동들을 따라 하는 자신을 발견하고는 너무 놀랐다는 그녀. 다시 그러지 말자고 다짐을 하지만 그게 말처럼 잘 안된다며 고민을 털어놓았다.

학창 시절 어른들이 '우리 어렸을 땐 안 그랬는데, 너희는 왜 그러니?'라는 말을 들으면 어른들은 세상이 변했는데 옛날 이야기만 한다고 생각했다. 하지만 내가 어른이 되고 보니 요즘 교복 입은 학생들을 보면 '공부하는 게 제일 쉬운 거야. 어른이 되면 공부하고 싶어도 못해. 그때가 제일 편할 때야' 라는 생각을 강요하게 된다. 아마 그 학생들도 날 보면 고리타분한 어른이라고 생각을 할 것이다.

부모님 입장이 되어 보니 그 심정이 이해가 되고, 시어머니 입장이 되어 보니 시어머님 입장이 이해가 간다. 나는 결혼 전 여성들이 아이를 키우느라 자기 관리를 하지 못한다는 것을 이해하지 못했다. 난 저렇게 되지 말아야지 했건만, 막상 아이를 낳고 키우다 보니 먹고사는 것만으로도 버겁다. 자기계발이고 뭐고 간에 삼시 세끼 밥 먹고 살아가는 것만으로도 정신없는 날들이 계속되니 그녀들이 이해가 되었다.

난 저렇게 되지 말아야지 했던 모습을 자신에게서 발견한다면 삶이 자신에게 보내는 경고 신호다. 삶이 보내는 변화의 신호를 감지해야 한다. 지금 변하지 않으면 안 된다는 것을 당신이 더 잘 알고 있을 것이다. 변화할 시기를 알려주는 신호를 외면해버리면 예전에 내가 그랬듯이 누군가가 나의 모습을 보고 '난 저렇게 살지 말아야지' 하고 생각할지 모른다. '난 엄마처럼 살지 않을 거야!'라는 소리를 듣고 싶지 않다면 TV 리모컨을 멀리하고 이불 속에서 늦장 부리는 습관부터 바꿔야 한다.

어느 날 친구가 내게 하소연을 하러 들렀다. 그녀는 회사를 다니면서 육아를 병행하는 워킹맘이다. 아이들도 잘 키우고 싶어 하고 본인에 대한 욕심도 상당히 커서 남들보다 두 배로 열심히 살고 있다. 그녀의 남편은 맞벌이를 하는데도 살림을 전혀 도와주지 않는 보수적이고 권위적인 사람이다.

남편은 사소한 것이라도 마음에 거슬리면 순간적인 화를 참지 못하고 그녀에게 입에 담지 못할 욕을 하고 아이들 앞에서도 화가 풀릴 때까지 소리친다고 했다. 그녀는 남편의 그런 성격을 고스란히 다 감내해내고 있었다. 원래 성격은 안 그런데 회사에서 스트레스를 많이 받은 날은 예민해져서 그런 것이라며 기분만 잘 맞춰주면 최고의 남편이라고 그를 감싸기도 한다.

그런데 어느 날 그녀는 자신이 순각적인 화를 참지 못하고 아이들에게 소리치고 욕하고 있는 것을 발견했다. 남편의 습관들이 어느새 그녀에게도 자연스럽게 스며든 것이다. 남편의 나쁜 습관을 자신만 참으면 된다고 생각했던 것이 실수였다. 자신만 가정에서 중심을 잘 잡고 남편의 성격을 다 받아주면 가정은 평화로울 것이라고 위안 삼으면서 버텼지만 생각지도 않은 곳에서 응어리가 터진 것이다. 남편의 화를 고스란히 감내하는 동안 쌓였던 분노들이 아이들을 향해 분출된 것이다.

주변 사람들에게는 성격 좋다는 이야기를 들으면서 가족에게만은 감정조절을 하지 못하는 사람들이 있다. 그런 사람들은 '가족은 나의 소유물'이라고 생각하고 가족에게는 화를 내도 괜찮다고 여긴다. 나쁜 행동을 해도 자신은 '왕'이기 때문에 그의 행동은 용서가 되며, 다른 가족들은 '신하'이기 때문에 자신의 잘못을 지적할 수 없다고 생각한다. 그런 남편의 심리적인 상태가 그녀에게까지 옮겨간 것이다. 가장 싫어하는 남편의 모습이 자신에게서 드러난 것을 발견한 그녀는 소스라치게 놀랐고 충격에 쌓였다. 아이들에게 미안해하는 그녀에게 나는 이렇게 위로해 주었다.

"그건 네가 아이들을 네 소유라고 생각해서 그래. 네가 아무리 소리치고 욕해도 아이들은 널 엄마로서 사랑할 수밖에 없을 테니까. 그건 아이들 이외에 네가 당당하게 소유하고 있는 것이 없다는 것이기도 하지. 아이들만이 네게 100% 순종할 수 있으니까. 스스로 네 인생을 조절하는 사람이 되려고 노력해봐. 자신에 대해 만족을 느끼게 되면 아이들에 대한 소유 욕구도 사라질 거야."

어느새 남편의 모습을 자신이 닮아가고 있는 것을 느낀 그녀는 위기의식을 느꼈고, 남편과의 관계에 변화를 줘야 한다고 결심했다. 남편이 화를 내면, 화가 가라앉기를 기다렸다가 자신과 아이에게 남편이 어떤 영향을 주고 있는지 이야기를 했다. 그가 화를 참을 수 있는 방법에 대해서도 함께 이야기했다. 그녀도 아이들에게 화가 날 때마다 감정을 조절하려고 노력했고 조금씩 나아지고 있음을 느낀다고 했다.

결혼하기 전 회식 때마다 아이들을 핑계로 회식을 빠지던 선배들, 고된 시집살이에도 자식들 때문에 산다던 어머니의 모습, 무릎 나온 트레이닝복에 모자를 쓰고 유모차를 끌고 다니던 주부들의 모습. 내가 그토록 되고 싶지 않았던 모습이었다. 하지만 내가 그 상황이 되어 보니 나도 어쩔 수 없이 그들의 모습을 답습하고 있었다. 삶의 희망도 없이 살아가던 나는 낯설다고 생각했던 그들의 모습을 나에게서 보게 되자 정신이 들었다. 변화해야 함을 깨달았고 내 앞에 놓인 문제를 엉킨 실타래를 풀 듯 하나씩 풀어나가기로 마음먹었다.

'아이들 때문에 힘들다'는 생각을 '아이들로 하여금 나도 어른이 되어간다'는 생각으로 고쳤다. 잘수록 느는 잠을 줄이기 위해 억지로 일찍 일어나기 위해 노력했다. 집안일을 미루던 습관을 없애고, 즐거운 일이 없어도 밝은 모습을 유지하려고 애썼다. 잊었던 꿈을 찾고, 꿈을 위한 하루를 살기 위한 방법을 찾으려고 노력했다.

가장 힘이 들 때 삶이 나에게 보내는 신호를 감지했고, 지금 가고 있는 방향이 잘못되었음을 깨달았다. 나를 옳은 방향으로 이끌어줄 불빛을 찾으려 노력했고, 그 불빛을 바라보며 방향을 틀어 다시 파도를 헤쳐나가기 시작했다.

내 모습 속에서 낯선 사람의 모습을 보고 소스라치게 놀랐다면 원인을 찾고 고치려고 노력해야 한다. 변화해야 하는 것을 알면서도 귀찮아서 외면해 버리고 '이번 한 번만', '내일부터' 하고 미루다 보니 지금까지 왔을 것이다. 가랑비에 옷 젖듯이 오랜 시간 동안 물든 나쁜 습관들을 떨쳐내는 것은 쉽지 않다. 하지만 지금 당장 바꾸려고 하지 않으면 시간이 지날수록 점점 더 힘들어진다. 작은 변화로 미래를 위한 큰 물결을 일으키자.

06

타임머신을 타고 10년 전으로 돌아간다면

먼 미래의 일로 여겨지던 '로봇 시대'가 어느새 우리의 생활 속에 자리 잡고 있다. 프로야구가 한창인 요즘 대전 한밭야구장 외야석에는 3줄로 자리 잡은 응원단의 질서 정연한 응원이 펼쳐졌다. 발광 다이오드LED를 들고 한화의 유니폼까지 입은 그들은 영락없는 한화의 열혈 팬이다. 그러나 자세히 보면 뭔가가 다르다. 알고 보니 세계 최초로 선보인 마네킹 모양의 응원 로봇 '팬 롯'이다. 팬 롯의 얼굴에는 경기장을 찾지 못한 팬들의 얼굴 사진이 들어가 있고, 응원 메시지를 LED를 통해 보낼 수 있다.

영화 〈아이언 맨〉을 보면 슈트를 착용하기만 하면 무거운 물건도 가볍게 들어 올리는 장면이 나온다. 이런 모습을 이젠 현실에서 볼 수 있게 되었다.

대우조선해양은 몸에 착용하면 무거운 물체를 들 수 있도록 고안된 '착용로봇'이 상용화 된다고 발표했다. 30kg의 물건을 들 때 느끼는 하중이 5kg 정도라고 하는 이 로봇은 올 하반기부터 조선소 작업 현장에서 사용될 전망이라고 한다. 바야흐로 일상에 로봇이 등장하는 시대가 온 것이다. 10년 전만 해도 10년 후에 이런 미래가 올 것이라고 예상하기 어려웠다.

지난 10년, 스스로 한번 돌아보는 시간을 가져보자. 과연 나는 성장했는가? 10년 전보다 지금이 나아졌다고 자신 있게 말할 수 있을까?

타임머신을 타고 10년 전으로 가보자. 10년 전 2005년 봄, 29세였던 나는 입사 4년 차에 접어들고 있었다. 회사생활과 업무도 어느 정도 익숙해져 자유를 맘껏 누리고 있었다. 원하는 직장에 들어갔고, 안정적이고 주위 사람들로부터 인정받는 직업이라는 것에 만족했다. 회사 사택에서 직원들과 함께 살면서 부모님으로부터 경제적인 독립을 했었기 때문에 그 무엇도 부럽지 않았던 시절이었다.

타임머신을 타고 10년 전으로 돌아간다고 해서 그보다 더 열심히 살 수 있었을까, 하는 생각이 들 정도로 열정적으로 20대를 보냈다. 영종도 공항신도시에서 인라인 동호회를 만들어 쉬는 날이면 인라인을 탔고, 겨울이 되면 스키와 스노보드를 탔다. 업무 시 영어를 많이 사용해야 됐기 때문에 퇴근 후에는 인터넷으로 동영상 강좌를 들으며 영어 공부를 했고, 관제업무의 전문성을 높이기 위해 대학원에 입학했다.

밤낮이 바뀐 스케줄 근무로 생활 리듬이 일정하지 않다 보니 건강관리가 필요해 헬스장을 정기적으로 찾았다. 시간을 그냥 흘려보내는 것이 아까워 주변을 둘러보며 무엇이라도 하려고 했던 시절, 지금 돌이켜 보면 내면에서 꿈틀거리는 열정을 분출할 곳을 찾지 못해 이곳저곳 참 많이도 기웃거렸던 것 같다.

10년이 지난 지금 그때를 생각해보면 그 열정들이 한곳에 집중되었으면 좋았을 텐데 하는 후회가 생긴다. 열정적으로 무언가에 매달려 열심히 지내긴 했지만, 그 모든 것들이 하나의 목표를 향하는 것이 아니었다. 영어 공부를 열심히 해서 국비 유학을 가고 우리나라의 항공 산업을 이끄는 대들보가 되겠다는 포부도, 대학원에서 석사 학위를 받아서 회사 내에서 인정을 받아 중추적인 역할을 하고 싶다는 목표도 없었다. 그저 시간을 허비하고 싶지 않아 무언가 열심히 하기는 했지만, 장기적인 목표나 계획을 염두에 둔 '열심히'가 아니었던 것이다. 하나의 목표를 가지고 열심히 했더라면 10년이 지난 모습은 지금과는 또 다른 모습일 것이다. 그 당시에는 남들보다 열심히 살고 있다며 뿌듯해 했지만, 목표와 꿈에 대해 알지 못했다는 것이 아쉬움으로 남는다.

영화 〈나비효과 3〉을 보면 주인공 샘은 과거로 '점프'할 수 있는 능력이 있다. 자신의 점프 능력을 알고 있는 샘은 미해결 사건 현장에 점프하여 범인의 얼굴을 보고 경찰에게 제보하는 일을 한다. 점프에는 규칙이 있다. 바로 점프하여 과거로 돌아갔을 때 사건에 개입해서는 안 된다는 것이다. 하지만 이 규칙을 깰 수밖에 없는 일이 생겼다.

10년 전 살인사건으로 죽은 여자친구 '레베카'의 범인이 감옥에 있는 사람이 아닌 다른 사람일 수 있다는 증거가 발견된 것이다. 고민 끝에 범인의 얼굴을 보기 위해 레베카의 죽은 시점으로 점프를 하고 여자 친구를 살리고 싶어 사건에 개입하고 말았다. 샘이 규칙을 어기고 과거에 개입하자 돌아왔을 때 현실은 많이 바뀌어 있었다.

과거에 작은 변화가 현재를 완전히 바꾼 것이다. 자신의 점프로 인하여 새로운 연쇄 살인사건이 벌어졌다. 이것을 해결하기 위해 다시 점프해 보지만 역시 사건을 해결하지 못한 채 돌아왔다. 다시 돌아온 현재는 상황이 더 나빠졌다. 샘은 꼬이기만 한 현재를 바로잡기 위해 애를 쓰지만 그럴 때마다 상황은 더 나빠지기만 할 뿐이었다.

이 영화가 이야기하고자 하는 것은 제목의 '나비효과'처럼 과거의 작은 변화가 현재에는 큰 영향을 미칠 수 있다는 것이다. 우리는 과거에 잘못한 선택에 대해 '그때 그랬어야 했는데' 하면서 후회한다. 하지만 영화에서 이야기하듯이 과거를 바꾼다고 현실이 지금보다 나아지지 않는다. 과거의 선택에 연연하면서 더 이상 현재를 낭비하지 말고, 미래를 바꿀 수 있는 현재를 충실히 사는 것이 최선이 아닐까?

예전에 주부들을 대상으로 한 자기계발에 강좌에서 들었던 이야기가 있다.

"여러분, 10년 전에 했더라면 후회하는 것이 있죠? 딱 10년 전에 누가 SK

텔레콤 주식을 사라고 이야기해줬으면 지금 여기서 강의 듣고 있지 않을 텐데 말이에요."

여기저기서 '맞다'라는 소리가 들려왔다. 그러자 강사는 이렇게 이야기를 이어나갔다.

"여러분, 제가 10년 후 미래에서 타임머신을 타고 왔습니다. 그래서 여러분께 무엇을 준비해야 하는지 말씀드리려고 이 자리에 섰습니다. 여러분, 절대 자식에게 여러분의 노후를 저당 잡히지 마십시오. 10년 후, 분명 아이들에게 올인한 그 시간과 비용을 후회하실 겁니다. 그 시간과 비용, 노력을 본인을 위해 투자하십시오. 나에게 투자하는 것만이 여러분의 노후를 위한 것입니다."

눈앞에 놓인 현실을 믿는 것은 쉽다. 하지만 보이지 않는 미래의 일을 믿는 것은 쉽지 않다. 아이에게 시간과 비용을 들이면 그 효과가 금방 나타나기 때문에 좋은 투자인 것 같지만 10년 후의 결과는 누구도 예측할 수 없다. 그렇다고 나에게 시간과 노력, 비용을 들이는 것은 아무리 생각해도 헛수고 같기만 할 것이다. 당장의 효과도 없고 10년 후의 결과에는 더더욱 자신이 없으니 말이다. 그래서 여성들은 자신이 아닌 아이들과 남편에게 자신의 모든 것을 쏟아붓고 10년이 지난 후에 후회를 한다. 하지만 이미 10여 년을 앞서간 사람들이 아이가 아닌 자신에게 투자하라고 이야기한다면 진지하게 생각해 봐야 하지 않을까?

만약 당신에게 '샘'과 같이 과거로 점프하는 능력이 있다면, 그래서 10년 전으로 돌아간다면 무엇을 바꾸고 싶은가? 후회스럽긴 하지만 그때의 행동은 그 상황에서 최선의 결정이었을 것이다. 이제는 과거에 더 이상 집착하지 말고 현재의 모습으로 만들 수 있는 미래를 바꾸려고 노력해보자. 샘이 과거에 개입하면 할수록 현재가 비참해져 갔듯이, 지금 현재가 최선의 상황이라 생각하고, 과거의 그늘로부터 이제 그만 벗어나야 한다.

앞으로 돌아올 10년을 위해 점프가 필요 없는 오늘을 살아보자. 눈앞에 놓인 일들만으로 시간이 없다고 이야기하는 생활은 이제 그만하자. 지금 손에 쥔 것을 지키기 위해 사는 것도 그만해야 한다. 우리가 해야 할 가장 중요한 것은 미래를 바꿀 오늘을 사는 것이다. 가슴 뛰는 삶을 살기 위한 첫 걸음을 떼어보자.

07

우리는 꿈꾸는 법을 배운 적이 없다

둘째 아이가 막 태어난 후 집에서 산후조리를 하고 있을 때 고등학교 친구가 집에 놀러왔다. 오랜만에 집으로 놀러온 친구가 반가워 신나게 수다를 떨었다. 그런데 느닷없이 친구가 내게 물었다.

"넌, 꿈이 뭐야?"

순간 머릿속은 시간이 잠시 멈춘 것처럼 아무 생각도 나지 않았다.

"둘째가 빨리 돌이 되는 것. 그 정도 되면 지금보다는 좀 살만 하겠지?"

안고 있는 둘째를 바라보며 말했다. 당시 나는 두 돌이 된 첫째와 막 태어난 둘째를 보는 것만으로 하루가 어찌 지나가는지 모르게 살고 있었다. 오늘이 며칠인지, 무슨 요일인지 한참을 생각했어야 할 정도로 눈앞에 닥친 일들만 해치우고 살았던 때였다. 남편 말고는 다른 사람들과 대화할 기회조차 없었다. 아이들 때문에 어린이 방송만 보느라 뉴스조차 볼 수 없었기 때문에 세상이 어떻게 돌아가는지도 몰랐다.

그런 내게 느닷없이 꿈이라니? 그저 내 몸이 좀 편해지고, 밥을 좀 제대로 먹어보고, 8시간을 내리 자보는 것이 소원이었던 시절이었다. 친구가 돌아가고 아이들이 잠든 동안 잠시 생각해 보았다.

'나의 꿈은 무엇일까?'

내 집을 갖는 것? 외제차를 타는 것? 승진하는 것? 명품 가방? 해외여행? 이런 것들이 스쳐 지나갔지만 꿈으로 붙잡아지지는 않았다. 아무리 생각해 보아도 머릿속은 하얗게 텅 비어 있는 것처럼 아무것도 생각나지 않았다.

테레사 수녀처럼 봉사하면서 세상을 움직이는 사람이 될까? 한경희 씨처럼 내 회사를 갖는 것일까? 정가연 씨처럼 몸짱이 되어 유명 연예인이 되어 볼까? 빌딩 부자가 되어 안정된 노후를 사는 것일까?

이런저런 생각에 밤잠을 설치며 생각을 해보지만 수십 년 동안 생각조차 하지 않았던 꿈은 하룻밤의 고민으로 내 앞에 모습을 드러내지 않았다. 분명히 나도 꿈이 있었던 것 같은데, 언제부터 꿈을 잊고 살았던 걸까? 왜 우리는 어른이 되면서 꿈을 잊고 사는 것일까?

존 아사라프와 머레이 스미스는 《해답》이라는 책에서 이렇게 말한다.

"우리는 열일곱 살이 될 때까지 '아니, 넌 할 수 없어'라는 말을 평균 15만 번 듣는다. '그래, 넌 할 수 있어'는 약 5000번이다. 부정과 긍정의 비율이 무려 30 대 1이다. 이런 까닭에 '난 할 수 없어'라는 믿음이 강하게 자리 잡는다."

8살인 큰아이의 꿈은 발레리나다. 2년이 넘게 발레를 배워오면서 무대에 설 기회도 가져보더니 한참 재미를 붙인 모양이다. 얼마 전부터는 피아노를 배우더니 피아니스트가 되겠다고도 하고, 저녁마다 책상에 앉아서 스케치북에 그림을 그리고는 화가가 되겠다고도 한다. 수시로 변하는 아이의 꿈을 보면서 나는 아이에게 이렇게 이야기해준다.

"발레리나가 피아노도 잘 치고 그림도 잘 그리다니. 진짜 대단한 걸? 그냥 발레만 하는 발레리나보다 피아노도 잘 치고 그림도 잘 그리면 정말 멋지겠다. 그치?"

마음속으로는 '한 가지라도 잘해야지, 이것 찔끔 저것 찔끔 하다보며 이도 저도 안 되는 거야', 혹은 '그거 다 하려면 돈이 얼마나 드는지 알아? 공부나 제대로 해'라는 말을 하고 싶지만 억지로 참고 있다. 순간적으로 생각하지도 않고 내뱉은 말이 아이에게 꿈을 입 밖으로도 꺼내지 못하게 할 것 같아서 말이다.

날씨가 조금 쌀쌀해도 아이가 감기에 걸릴까 밖에 내보지도 않는 부모들 때문에 아이들의 체력은 점점 더 떨어지고 있다. 엉덩방아를 찧으면서 넘어져야 걷는 것을 배울 수 있고, 밖에서 열심히 뛰어 놀아야 면역력이 좋아지듯이 시련을 만나 넘어지고 좌절도 해보아야 꿈을 찾아갈 수 있다. 시련 앞에 무너지고, 장애물 앞에서 포기해버리는 꿈은 꿈이 아니기 때문이다.

실패는 하면 안 되는 것이고, 못난 사람들만 하는 것이라는 편견은 안정적인 것만을 추구하는 사람으로 만들어 버렸다. 불가능해 보이는 것은 시도조차 하지 않고, 나의 길이 아니라며 외면해 버린다. 그렇게 우리들의 꿈은 약한 충격에도 상처를 입는다. 그리고 조금씩 작아진다. 어느 순간 꺼내보는 것을 잊게 되면서 그렇게 꿈은 사라져 버리고 말았다.

유년 시절 대통령이 꿈이던 아이들은 초등학교 고학년만 되어도 그 꿈을 이룰 수 없다는 생각에 다른 꿈을 꾼다. 과학자가 꿈인 아이들은 수학점수에 꿈을 포기하고, 아나운서가 꿈인 아이들은 자신의 외모를 보고 꿈을 포기하고 만다. 꿈을 찾고, 그 꿈을 이루기 위해 노력하는 방법을 모르는 상태에서 계속해서 부정의 소리를 들으면서 어느새 꿈은 로또 당첨과 같이 되면 좋고 안 되면 어쩔 수 없는 것으로 빛이 바래져 간다.

〈파퓰러 사이언스〉지가 선정한 젊은 천재 과학자 10인 중 한 명인 미국 버지니아 공대 교수이자, 로봇공학자 홍원서(데니스 홍) 교수는 21세기의 로봇 개발을 이끌고 있다.

"처음 시각장애인용 자동차를 만든다고 했을 때 사람들이 완전히 정신나간 생각이라고 했어요. 미친 생각이라고 했죠. 하지만 우리는 결국 〈워싱턴 포스트〉지 1면을 장식했어요."

전 세계 3700만 시각장애인의 꿈을 이루어낸 주인공, 홍원서 교수는 7살 때 가족들과 함께 스타워즈를 보고 로봇의 매력에 빠졌다. 그 영화를 보고 나오면서 '로봇공학자'를 꿈꿨다. 꿈을 꾸는 그의 여정이 항상 순탄했던 것만은 아니었다. 어렸을 적 남다른 호기심 때문에 웃지 못할 사건도 많았다.

한강에서 RC 비행기를 조립하다 간첩으로 오인받고 경찰서에 끌려간 적도 있었고, 집에서 화약을 만들다 불이 나는 바람에 119가 출동하기도 했다. 하지만 그럴 때마다 부모님은 야단치는 대신 격려해 주었다. 어렸을 때 품었던 그의 꿈을 지지해 주었던 사람들, 그들은 작은 꼬마아이를 큰 로봇공학자로 성장시켰다. 남들은 불가능하다며 비웃던 일들을 그는 현실로 만들었다. 실수를 격려하고 불가능을 시도한 그에게 이제는 상상하는 것은 모두 현실이 된다.

과연 우리는 꿈을 꾸는 방법을 알기는 하는 걸까? 진정으로 원하는 것을 꿈으로 품기는 하는 걸까? 그리고 그 꿈을 이루기 위해 그처럼 노력했던 적이 있을까? 되지 않을 것을 시도해본 적이 있었을까? 아마도 그래본 적이 있는 사람이라면 지금 그 꿈을 이루었거나, 가깝게 다가서 있을 것이다. 그리고 점점 꿈은 성장하고 있을 것이다.

하지만 그렇지 않는 사람이라 하더라도 좌절할 필요는 없다. 대부분의 사람들이 그렇지 않기 때문이다. 그것은 당신 탓이 아니다. 가슴이 뛰는 꿈을 이루기 위해 어떻게 노력해야 하는지 알려준 사람이 없었기 때문이다.

'오르지 못할 나무는 쳐다보지도 마라', '될성부른 나무는 떡잎부터 알아본다', '송충이는 솔잎을 먹어야 한다'라는 속담이 어렸을 때부터 머릿속에 각인된 우리는 꿈이라는 것은 갖지도 말아야 하고 이루어지지도 않는 것이라고 여기며 살아왔다.

나 또한 그랬다. 내가 하고 싶은 것이 무엇인지를 생각해보지 않고, 멋져 보이고 좋아 보이는 것들을 꿈이라 생각했다. 의사가 되고 싶고, 건축가가 되고 싶었지만 진정으로 원했던 꿈이 아니었기에 대학 입시의 문턱을 넘지 못하고 사그라져 버렸다.

하지만 졸업반이 되어 진로를 걱정할 시기가 다가오자 진지하게 내가 무엇을 하고 살아가야 할 것인가에 대해서 깊이 생각해 보게 되었다. 그 당시 IMF 직후여서 이공계 생들에게 취업은 어려웠다.

'과연 취직은 할 수 있을까?'

'이러다가 졸업하고 노는 건 아닐까?'

불안감이 엄습해왔지만, 내가 과연 어떤 일을 해야 행복한가를 먼저 고민해 보았다. 결국 4년 동안 배운 전공과는 무관한 길을 가기로 결정했다. 꿈 없이 진학했던 대학은 그렇게 과거에 묻혀버렸다.

당시 잘 알려지지도 않은 관제사 조종사와 교신하며 항공기의 안전한 운항을 담당하는 하늘의 교통경찰관가 되겠다고 했을 때 주변에선 우려의 시선으로 바라보았다. 온통 부정적인 사람들뿐이었다. 관제사가 되기 위한 학원도 없고 관련 책도 없던 때라 맨땅에 헤딩하는 식으로 결과가 보장되지도 않는 시험에 매달렸다. 이 길이 아니면 절대 안 된다는 절박함에 종교도 없는 나는 매일 밤 기도하고 잠이 들었을 정도로 매달렸다. 1년이 넘는 준비를 통해 관제사가 되었고, 이 과정은 나에게 삶의 방식을 바꾸는 큰 경험이 되었다.

성장하는 엄마로 산다는 것은 당신이 생각하듯이 불가능하거나 어려운 것이 아니다. 내가 진정으로 원하는 것이 무엇인지 스스로에게 질문하고 가슴이 뛰는 꿈을 찾는 것으로부터 시작된다.

'나의 꿈은 무엇이었을까?'

'나는 무엇을 할 때 가장 행복했었는가?'

'잠자는 시간도 아깝게 느껴질 만큼 몰입했을 때는 언제였는가?'

'배고픔도 느껴지지 않을 만큼 몰입할 수 있는 것이 무엇인가?'

'현실 속 부정의 소리에 흔들리지 않고 나의 마음을 지켰던 적이 있었던가?'

'나는 어떤 사람이 되기를 바라는가?'

'그렇게 되기 위해서는 어떤 꿈을 가져야 할까?'

이런 자기 질문에서 꿈이 시작된다. 다른 사람들이 인정하지 않는 꿈이라 할지라도 나의 가슴을 뛰게 하는 꿈을 찾았다면 10년 후를 상상할 수 있다. 상상으로 즐거워진 마음으로 매일 주어진 목표를 채워 나가보자. 매일 아침 일어날 때 꿈에 한 걸음 다가가는 하루를 만들 수 있음이 얼마나 설레는지 직접 경험해보자. 그 설렘은 흥미진진한 아침 드라마보다, 맛있는 점심보다, 양손 가득한 쇼핑보다 하루를 즐겁게 해줄 것이다.

08

열정 속의 여유

어느 화창한 봄날 아침, 여느 날과 다름없이 3살된 아이를 카시트에 앉히고 정신없이 출근을 하고 있었다. 아이를 어린이집에 맡기고 출근을 해야 했기에 허둥지둥 정신도 없고 일분일초가 아까운 그 시간에 역설적으로 아파트 단지 안에 활짝 핀 벚꽃이 눈물 나게 예뻐 보였다. 여유롭게 유모차를 밀고 아이와 어디론가 향하는 사람을 보는데 왜 이렇게 부럽던지 갑자기 눈물이 핑 돌았다.

아침부터 일어나기 싫어하는 아이와 전쟁을 치렀다. 출근 준비하느라 마음은 급한데 아이는 잘 따라 주지 않아 짜증이 날 대로 난 상태에서 아이와 함께 유모차로 산책하는 그녀들을 보니 질투가 났던 것이다. 나도 이렇게 화창한 봄날에 아이와 유모차를 끌고 벚꽃 아래 산책을 즐기고 싶다는 생각이 간절했다. 벚꽃 한번 여유롭게 쳐다볼 시간도 없이 사는 게 무슨 의미가 있나 싶었다. 그러다 왜 사는 걸까 하는 생각에 나도 모르게 눈물이 흘러내렸다.

아이가 아프다고 하고 휴가를 낼까? 내가 아프다고 할까? 하면서 온갖 잔머리를 굴려 보아도 뾰족한 방법은 없었다. 두 돌도 되지 않은 딸이 어린이집 가방을 메고 선생님 손을 잡고 교실로 들어가는 뒷모습을 바라보는 내 마음은 표현할 수 없이 아팠다.

'미안해, 미안해, 엄마가 항상 같이 있어 주지 못해 미안해.'

이렇게 속으로 울부짖으며 아이를 어린이집에 맡기고 돌아섰다. 회사로 향하는 내 마음은 화창한 봄날의 날씨와는 다르게 너무나도 무거웠다.

그렇게 큰아이를 친정과 어린이집의 도움을 받아 키우다 둘째를 낳고 육아휴직을 하게 되었다. 드디어 그토록 오매불망 그리던 봄날의 여유를 즐길 수 있게 된 것이다. '눈물 나는 봄날의 사건' 1년 후, 나는 벚꽃 아래로 유모차를 밀고 산책하는 주인공이 되었다. 큰 아이를 어린이집에 보내고 돌이 안 된 둘째를 유모차에 태우고 돌아오면서 봄날의 벚꽃 아래에서 그토록 원하는 여유를 느끼는 순간을 맞이했다.

1년 전 그날처럼 햇살은 따스하고 벚꽃은 만발했다. 하지만 현실은 상상했던 것하고는 달랐다. 유모차 속의 아이는 무엇이 불만인지 울어댔고 아이를 달래랴 유모차를 밀랴 이마에서 땀이 나기 시작했다. 벚꽃 아래를 지나갔지만 벚꽃은 눈에 들어오지 않았고 괜히 나섰다는 후회가 밀려왔다. 어린 아이와 무슨 벚꽃 타령이냐며 한숨 쉬며 집으로 향했다. 역시 집이 제일 편했다. 그제야 깨달았다. 내가 부러워하는 여유의 진정한 가치는 열정과 함께했을 때 느껴지는 것이라는 것을 말이다.

5시 30분에서 6시에 기상. 제일 먼저 커피메이커의 전원을 켜고 사우나를 준비한다. 커피 한 잔을 들고 사우나로 가서 20분 정도의 시간을 보낸다. 사우나를 하면서 하루의 일과와 스케줄을 생각하고 일상에서 우선순위를 정한다. 사우나를 마치면 강아지와 산책을 한 다음 2시간 동안 개인 연습시간을 갖는다. 이렇게 아침 시간을 마치고 나면 시계는 9시 30분을 가리킨다.

출근을 위한 준비로 20분을 보내고 9시 50분에 집을 나선다. 걸어서 극장에 도착하면 10시 10분이 되고 그때부터 저녁까지 줄곧 연습이 시작된다. 저녁에 공연이 있는 날에는 보통 밤 11시가 되어야 퇴근을 하고 집에 돌아와 간단히 씻고 정리하고 잠자리에 드는 것으로 하루 일과가 끝이 난다.

세계적인 발레리나 강수진 씨의 일상이다. 그녀의 일정은 시계를 보지 않아도 딱딱 맞아 떨어진다. 오차가 있어봐야 고작 1~2분 정도라고 한다. 이렇게 일분일초가 완벽하게 떨어지는 생활을 하는 그녀에게 사람들은 그렇게 살면 힘들지 않냐고 물어본다. 그런 사람들의 질문에 그녀는 아무렇지도 않게 이렇게 반문한다.

"다들 그렇게 살지 않나요?"

강수진 씨의 일상을 보면서 '난 저렇게는 못 살아'라고 생각했던 적이 있다. '매일 같은 것만 반복되는 생활이 즐거울까?' 하는 생각이 들었기 때문이다. 그렇게 열심히만 사는 것은 재미가 없을 것 같았다. 하지만 지금은 그녀의 삶을 조금이나마 이해할 수 있을 것 같다. 다른 사람이 보기에는 매일 같은 일상이겠지만 그녀에게는 본인만이 아는 성장이 있기 때문이다.

그녀의 하루에는 끊임없는 연습 후에 잘 되지 않는 동작을 성공했을 때의 희열, 오늘도 어제보다 나아졌다는 보람이 숨어 있다. 겉으로 보이는 결과는 하루아침에 되는 것이 아니라 남들보다 조금 더 나은 매일을 반복했을 때 나오는 것이라는 것을 그녀는 알고 있었던 것이다.

그녀는 자서전《나는 내일을 기다리지 않는다》에서 이렇게 이야기한다.

"내가 나를 평가해서 어제보다 나은 하루를 살았으면 그래서 거기에 만족할 수 있으면 그날 하루는 어제보다 나은 하루다. 그리고 그 하루 덕분에 오늘의 나는 어제의 나보다 조금 더 진화한 것이다. 그 '조금 더'가 모여 경쟁자들이 따라올 수 없는 '결정적인 큰 차이'를 만들어낸다."

자신을 이겨내는 하루는 나를 성장으로 이끈다. 성장으로 인한 만족감은 그 어떤 여유보다 행복하게 만들고, 행복은 고난을 이겨내게 하는 에너지를 만든다. 겉으로 보이는 여유는 성장하는 사람에게 있어서 중요한 것이 아니었던 것이다.

열정은 사람을 성장하게 하고, 성장은 또 다른 열정을 만들어낸다. 이 과정을 겪어 본 사람들은 느긋한 여유보다 가슴 뛰는 성취감이 주는 흥분을 기억한다. 나도 이제는 조금씩 가슴 뛰는 성취감의 느낌을 알 것 같다. 멈춰 있는 여유보다 성장하는 열정이 얼마나 살고 싶게 만드는지 말이다.

아침에 눈을 떴을 때 할 일로 가득한 하루가 있다는 것이 얼마나 행복한 것인가? 그리고 밤에 잠자리에 누울 때 오늘도 어제보다 1cm라도 성장한 하루를 보내고 뿌듯함으로 잠이 든다면 진정으로 행복한 것이다. 열정으로 성장한 하루는 여유로운 하루보다 훨씬 달콤하고 포근하다. 성공한 사람들은 열정으로 가득한 삶이 여유로 가득한 삶보다 훨씬 행복하다는 것을 안다. 뛰면서 느끼는 행복을 느껴본 사람은 누워서 느끼는 행복에 만족하지 않듯이 말이다.

어린 시절 일요일 아침마다 하는 만화영화를 보기 위해 누가 깨우지 않아도 일어났다. 연애시절 예쁘게 화장하고 잘 보이고 싶은 마음에 아침 일찍 일어나 준비를 하곤 했다. 겨울 스키 시즌이 시작되면 사람이 붐비지 않는 시간에 가기 위해 새벽 4시에 일어나 장비를 챙겨 떠나기도 했다. 하고자 하는 것과 그 열정을 식지 않게 해줄 꿈이 있다면 아침의 늦잠이 절대 그립지 않다.

다른 사람들의 여유가 부럽다면 내가 성장이 멈추었기 때문이다. 여유를 부러워하기보다는 성장하는 사람이 되려고 노력해보자. 여유는 열정 속에서 잠시 느꼈을 때가 가장 맛있다. 가장 맛있는 여유를 위해 열정을 깨우

자. 열정은 뜨거운 것만이 아니다. 오래 유지하는 것 또한 열정이다. 어제보다 성장하는 하루를 찾기 위한 이유를 찾아 열정 속의 여유를 누리는 사람이 되어보자.

09

다른 사람이 내 인생을 흔들게 하지 마라

얼마 전 식탁 위의 등이 고장이나 관리실에 부탁드렸다. 저녁 7시 이후에 찾아오신 전기설비 기사님이 지금은 휴식시간인데 일거리가 생겼다면서 왜 불러서 귀찮게 하느냐고 짜증을 내셨다. 오전에 이미 관리소 소장님과 이야기가 됐던 것인데 기사님은 막무가내로 나에게 화를 내는 것이었다. '집에서 논다고 이제는 아파트 전기 기사도 나를 무시하는 거야?' 하는 생각에 기사님을 보내고 난 후 서러움에 한참을 울었다.

퇴근한 신랑에게 흥분해서 이야기하는데 한 귀로 듣고 한 귀로 흘려보내는 표정이었다. 내 이야기에 대꾸는 하지만 관심이 없어 보였다. 그 모습에 또다시 화가 나려 하는 것을 참고 잠시 나의 모습을 바라보았다. 비디오를 돌리듯 다시 재생해본 나의 모습은 영락없이 자격지심에 빠져 흥분한 아줌마였다. 전기 기사한테 무시당했다며 화를 내고 있는 내 모습이 남편의 눈에는 어떻게 보일까 싶었다. 남편은 회사에서 욕먹고 거래처에서도 욕먹고 그게 일상일 텐데 그런 남편이 보기에 전기 기사가 했던 말 몇 마디에 무시받았다며 화가 나서 씩씩대는 아내가 이해되지 않았을 것이다.

며칠 뒤 심리학 서적을 읽다 우연히 알게 되었다. 남자들은 하루에 2만 단어를 이야기하고, 여자들은 2만 5000단어를 사용한다고 한다. 남편들은 직장에서 2만 단어를 소진하고 퇴근을 한다. 하지만 아내들은 하루 종일 5000단어도 사용하지 않았기 때문에 퇴근하는 남편에게 남은 2만 단어를 속사포로 쏘아대는 것이다. 이미 하루치 단어를 사용한 남편들은 '그래', '응' 하고 마는데, 그런 남편을 보면서 무관심하다며 아내들은 서운해 한다는 것이다.

그 사실을 알고 나니 퇴근하는 신랑이 내가 하는 말에 관심과 반응이 없는 이유를 알 것 같았다. 그리고 내가 하루 동안 사용할 2만 5000단어를 사용할 곳을 찾았다. 아이들에게 더 많이 사용하고, 하고 싶은 말들을 글로 적기 시작했다. 그렇게 마음을 밖으로 꺼내버리니 남편이 퇴근해도 웃는 얼굴로 맞을 수 있게 되었다.

이 일을 계기로 내 자신을 객관적으로 바라보려고 의도적으로 노력하기 시작했다. '내가 지금 화를 내는 것이 정당한 것일까?', '내가 지금 괜한 자격지심에 흥분한 것이 아닐까?' 상대방이 나를 무시하는 것인지, 내가 그런 행동을 한 것은 아닌지, 아니면 나만의 오해인 것인지 생각해 보았다. 당장 솟구쳐 오르는 화를 참고 이 상황에서 어떻게 하는 것이 가장 현명할 것인지 고민하다 보니 화는 조금씩 가라앉았고, 해답들이 조금씩 보이기 시작했다. 다른 사람의 말에 쉽게 흥분하고 화를 잘 내던 내가 조금씩 부드러워지게 되었고, 조용하게 상대방을 설득하는 요령을 조금씩 익혀나가게 되었다.

주변 사람들이 생각 없이 던진 말에 기분이 오락가락한다면 그건 나에게 문제가 있는 것이다. 항상 좋은 말만 듣고 사는 사람은 없다. 기분을 상하게 하는 수많은 말들 대부분은 내 마음에서 만들어내는 것이다. 상대방은 의도하지 않고 이야기한 것을 내가 상상하고 부풀려서 나의 마음에 비수를 꽂는 꼴이다.

다른 사람들이 한 말에 내가 휘둘리지 않기 위해서는 환경 탓을 하거나 남 탓을 하는 습관을 버려야 한다. 나에게 주어진 환경을 탓하는 것은 '나는 수동적인 사람'이라고 외치는 것과 같다. 영국의 소설가 조지 버나드 쇼는 이렇게 이야기했다.

"사람들은 항상 그들의 현 위치가 그들의 환경 때문이라고 탓한다. 나는 환경을 믿지 않는다. 이 세상에서 출세한 사람들은 자리에서 일어나 그들이 원하는 환경을 찾아갔다. 그리고 그들은 원하는 환경을 찾지 못하면 그들이 환경을 만든다."

당신이 주변 사람들의 사소한 말에 화가 나고, 무시를 당하는 것 같아 점점 의기소침해져 간다면 원인을 외부에서 찾아서는 안 된다. 남들이 보이는 반응에 따라 휩쓸려 다니는 나를 붙잡아야 한다. 사람들이 나를 어떻게 생각할지만 고민하면서 남들의 이야기에 흔들리며 살아가기에 인생은 그리 길지 않다.

내면의 무게를 늘려 나만의 중심을 잡아보자. 나를 중심으로 돌아가는 세상에서 성장하는 하루를 살아가다 보면 사소한 것에 화를 내고 흥분할 시간이 없다. 바닥에 앉아 있을 때 작은 돌부리는 나를 불편하게 하지만, 큰 꿈을 향해 걸어가는 발걸음 앞에 놓인 작은 돌은 걸림돌이 되지 않는다.

얼마 전에 지인의 집에 놀러 갔다가 겪은 일이다. 4학년인 지인의 아들은 사춘기인지 학교에서 돌아오자마자 엄마에게 화를 내고 방으로 들어갔다. 친구와 싸웠는데 엄마 탓이라며 엄마에게 책임지라며 몰아세웠다고 한다. 아들은 자신이 원하는 대로 되지 않을 때마다 항상 엄마 탓을 한다. 그 아들이 버릇없다고 보일 수 있겠지만 어렸을 때부터 아이를 봐왔던 나는 상황이 이해가 갔다.

엄마는 아들에게 항상 할 일을 알려주었다. 먹는 것, 입는 것, 공부하는 것, 심지어 친구들을 만나는 것까지 엄마가 일일이 간섭하였다. 초등학교 저학년까지는 아이가 잘 따라 주었지만 고학년이 되어가면서 엄마와 아들의 충돌 횟수는 늘었고 급기야 아들은 자신의 모든 것을 엄마 탓으로 여겼다. 시험점수가 나빠도 엄마 탓, 선생님께 꾸지람을 들어도 엄마 탓, 심지어는 늦잠을 자도 엄마 탓이라고 우겼다.

아이가 상처받지 않고 좋은 것만 보고 잘되기를 바라는 것은 모든 부모들의 공통점이다. 하지만 정말로 아이를 사랑한다면 스스로를 돌볼 수 있게 만들어 주어야 한다. 아이의 친구가 놀러 오면 부모는 먼저 '친구는 어디 사니?', '차가 뭐야?', '아빠는 뭐하시는 분이니?'라고 환경을 물어본다. 이 모습을 본 아이들은 친구로부터 무시를 당하면 우리 집이 가난해서라며 환경을 탓하고, 늦잠을 자면 엄마가 안 깨워줬기 때문이라며 엄마를 탓한다.

내가 처해진 환경이 마음에 들지 않으면 그 자리에서 머물면서 불평불만을 늘어놓을 것이 아니라, 두 발로 걸어가는 방법을 익혀야 한다. 내가 원하는 환경이 없다면 내가 구체적으로 어떤 것을 원하는지를 고민하고, 그것을 만드는 방법을 찾아야 한다.

많은 여성들이 결혼하고 아이를 키우면서 사회와 단절된 생활을 한다. 남편 혼자서 가족의 노후를 책임지는 것이 힘들기 때문에 나도 힘을 보태야 하는 것을 이론적으로 안다. 하지만 "아이가 어릴 때는 엄마가 봐줘야 한대요", "신랑이 일하지 말고 살림만 하래요" 혹은 "친정 엄마가 아이나 잘 보고 아끼고 사는 게 돈 버는 거래요"라며 자신의 생각을 남의 말을 빌려서 표현한다.

집에서 아이를 키우고 있는 것을 탓하는 것이 아니다. "전 아이가 36개월까지는 엄마가 함께 있어줘야 한다고 생각해요. 그 이후에는 어린이집에 보내면서 일을 시작할까 해요. 그동안은 요리를 배우고, 책을 보면서 제가 뭘 잘할 수 있는지 찾아보는 시간을 가지려고 해요"라며 자신의 의견을 당당하고 자신 있게 표현하길 바라는 것이다.

나는 둘째가 태어난 지 7개월 되던 때 어린이집에 보냈다. 들어가기 어렵다는 국공립 어린이집 순서가 되어 포기하기 아까운 마음에 등록을 하고 보내기 시작했다. 돌이 안 된 아이를 어린이집에 보낸다고 이야기했을 때 주변에서 나를 바라보는 시선이 곱지는 않았다. 하지만 나는 당당하게 이야기했다.

"집에서 놀면서 아이를 어린이집에 보내는 것이 직무 태만으로 보일 수 있겠지. 하지만 난 혼자만의 시간이 필요해. 아이를 위한다면서 하루 종일 함께 보내다가 저녁이 되면 폭발해 버리는 헐크 같은 엄마가 되느니, 걷지도 못하는 아이를 어린이집에 맡기더라도 함께 있을 때 행복을 나눠주는 엄마가 되는 게 나을 것 같아."

지금도 친정 엄마는 둘째를 너무 일찍 어린이집에 보냈다며 나를 독한 엄마라고 한다. 하지만 난 후회하지 않는다. 그렇다고 내가 아이를 사랑하지 않는 것은 절대 아니다. 나는 엄마가 자신을 더 소중히 여기고 사랑하는 것이 아이를 사랑하는 첫걸음이라고 믿는다. 그래서 아이에게도 당당히 '엄마는 너를 돌이 되기 전에 어린이집에 보냈어'라고 이야기할 수 있다.

디지털이 발달하고 인터넷을 통한 소통이 활발해질수록 '결정 장애'를 가지고 있는 사람들이 늘어난다. 코트를 사야 하는데 어떤 디자인이 좋은지 인터넷에 물어보기도 하고, 책을 들추면 찾을 수 있는 상식들도 인터넷에 올려서 답을 기다린다. 결혼하고 싶은데, 남자의 스펙이 중요한지, 외모가 중요한지를 알지도 못하는 사람들에게 물어본다. 사람들은 자신의 판단을 믿지 못한 나머지 다른 사람들에게 결정을 위임한다. 선택의 갈림길에서 생기는 혼란을 회피하고 책임감을 덜어내는 것이 습관이 되었다. 점점 쉽고 편한 것에 익숙해져 가는 것이다.

스마트폰으로 인해 생각할 시간은 점점 줄어들고 현실을 회피하려는 경향이 많아지고 있다. 선택을 타인의 손에 맡기는 편안함을 추구하는 동안 성장할 수 있는 기회는 점점 사라진다. 최선의 선택이 중요한 것이 아니다. 선택과 결정의 과정에는 성장하는 기회가 숨어 있다. 내가 어렵게 내린 결정이 최고의 선택이 되도록 행동하는 것이 성장하는 사람들의 비밀이다.

내가 아이를 어린이집에 일찍 보내길 잘했다고 당당하게 이야기할 수 있는 것은 아이를 어린이집에 보낸 그 시간을 헛되이 보내지 않았기 때문이다. 그 시간 동안 나는 많이 성장했고, 또한 내가 한 선택을 후회하지 않기 위해 아이들과 함께하는 시간에 최선을 다했다. 어떤 선택을 하느냐가 중요한 것이 아니다. 주도적으로 생각하고, 결정한 후, 흔들리지 않게 밀어붙이는 대담함이 흔들리지 않는 나로 만들어준다.

다른 사람이 내 인생을 흔들게 놔두어서는 안 된다. 나의 시간과 미래는 다른 사람이 책임져 주지 않는다. 이 2가지는 절대로 나의 주체적인 생각과 판단에 따라야 한다. 아이들의 학원을 쫓아다니며 시간이 없다며 한탄하지 말자. 시댁에 갈 때마다 남편의 의견을 물어볼 필요가 없다. 결정할 것이 있다면 스스로 알아보고, 판단해야 한다. 결정한 이후는 나의 결정이 최고의 선택이 되도록 앞만 보고 우직하게 밀고 나가보자. 최악의 선택은 고민하다가 아무것도 하지 않은 것이다.

chapter 2

계속
성장하는
여자들의 비밀

01

이름표를 떼면 나는 무엇을 보여줄 수 있을까?

학창 시절 나의 꿈은 발명가, 과학자, 건축가, 의사 그리고 조종사였다. 어린 시절 무언가를 만들고 과학을 좋아했기에 과학자를 꿈꿨다. 고등학교 때는 흰 가운을 입은 의사의 모습이 멋져 의사의 꿈을 키웠고, 높게 솟은 빌딩을 바라보고 있노라면 가슴이 떨려 건축가를 꿈꿨다. 영화 〈탑건〉을 보면서 하늘을 날고 싶어 조종사가 되고 싶었지만 '정말 되고 싶다'는 꿈이 아니라 '되면 참 멋지겠다'라는 막연한 희망 사항이었다. 꿈이 아닌 희망사항은 현실을 극복할 만큼의 의지를 만들어내지 않았다.

우리는 '장래희망'과 '꿈'을 혼동한다. 내가 원하는 직업이 곧 꿈인 것이다. 꿈으로 여겼던 장래희망을 선택한 기준은 나의 가슴이 뛰는 것이 아니었다. 안정적인 수입이 있고, 멋져 보이고 남들에게 인정받을 수 있는 것이었다. 지금껏 30년을 그런 것인 줄 알고 살았다. 남들도 그렇게 하는 것 같았고, 특별히 직업이나 미래에 대해 아는 것도 없었다. 그런 기준으로 정한 꿈을 실천하려는 의지가 있을 리 없다.

얼마 전 딸아이가 학교에서 가정통신문을 가지고 왔다. 학부모들의 직업강연 신청을 받는 내용이었다. 아나운서, 기자, 의사, 변호사, 운동선수, 조종사, 승무원 등등 전문 직업을 가진 학부모가 6학년 아이들을 대상으로 직업에 관해 알려주는 시간을 갖는다는 내용이었다. 아이들에게 다양한 직업의 세계를 경험할 기회를 제공하기 위한 것이었다. 지금은 이렇게 아이들이 어렸을 때부터 미래에 대해 준비할 수 있는 기회가 많아졌다. 직접적으로 직업 체험을 할 수 있도록 만든 테마파크도 있고, 단체로 방송국이나 소방서에 견학을 가는 기회도 많아졌다. 돌이켜 보면 내가 남들과 같은 직업을 생각할 수밖에 없었던 가장 큰 이유는 아는 직업이 한정적이었기 때문이 아닌가 한다.

직업을 선택할 때, 직업의 종류를 많이 알면 알수록 내가 선택할 수 있는 선택지가 늘어난다. 이처럼 많은 경험을 하고, 낯선 환경에 많이 노출될수록 나를 스스로 파악할 기회가 많아진다. 수많은 경험 속에서 전에 알지 못했던 나의 모습을 발견할 기회가 생기는 것이다.

하지만 대부분의 사람들이 만들어진 길을 가는 것에만 익숙해져 남들이 가지 않는 곳에도 길이 있다는 것을 모르고 있다. 많은 사람들이 이미 지나가서 넓고 탄탄해진 길만을 고집하느라 내가 진정으로 원하는 것이 무엇인지 생각할 필요성을 느끼지 못한 채 인생을 허비하고 있는 것이다.

대학교 때 4학년 1학기를 마치고 휴학을 했다. IMF 직후라 휴학을 하는 것이 유행이던 때였다. 나 역시도 졸업하기 전에 많은 경험을 해보고 싶어서 계획도 없이 휴학을 했다. 우선 아르바이트를 구하고 휴학 기간에 무엇을 하고 싶은지 찾았다. 남들처럼 어학연수를 가고 싶었지만, 학비도 아르바이트로 충당해야 하는 마당에 어학연수를 간다는 것은 불가능한 것이었다. 하지만 졸업하기 전에 꼭 한 번은 외국을 다녀오고 싶었고, 대안으로 찾은 것이 '호주 워킹홀리데이'였다.

6개월간 아르바이트를 하며 경비를 모으고 호주로 가기 위한 준비를 했다. 아는 사람 한 명 없이 어학원을 거치지 않고 비행기표만 준비해 훌쩍 호주로 떠났다. 한국 땅을 떠나는 순간 나 홀로 버려진 것 같은 두려움이 밀려왔다. 한국에서는 나름 공부도 잘하고 당당하게 살았는데 말도 통하지 않는 이국땅에서 살아가는 것은 생각보다 힘들었다. 농장에서 토마토도 따고, 회전 초밥집에서 서빙도 했다. 터키 음식점에서 설거지도 하면서 힘들고 고됐지만 호주 생활은 점차 적응되어 갔다.

호주로 가기 전까지 나는 무엇이든 원하면 다 할 수 있다고 생각했었다. 하지만 그것은 나의 착각이었다. 말이 통하지 않는 호주에서 '나'는 그저 최저 임금을 받는 외국인 노동자에 불과했다. 호주에서 6개월의 경험은 세상을 만만하게 생각한 나의 오만이 얼마나 큰 착각이었는지 깨닫게 되는 귀중한 시간이었다.

그때의 경험은 내 인생의 가치관을 바꿔주었다. 내가 자라온 환경과 과거를 모르는 사람들과 살아가기 위해서는 스스로 빛을 내는 사람이 되어야 했다. 스펙을 채울 것이 아니라 내면을 채워 나만의 가치를 만들어야 한다는 것을 알게 되었다.

지금의 환경, 나의 스펙은 언제든지 사라질 수 있다. 지금 내가 다니는 회사를 더 이상 다니지 않는다고 생각해보자. 누구의 아내, 누구의 엄마라는 이름표도 떼어내보자.

사람들 앞에서 당신은 무엇을 보여 줄 수 있는가?

사회가 변화하면서 나를 치장하고 있는 수식어는 언제든지 바뀔 수 있다. 나의 스펙이 나의 적성은 아니다. 나의 직업이 나의 능력은 아니다. 미래를 길게 바라보고 나를 낯선 환경에 던져놓고, 나의 모습을 객관적으로 때로는 냉정하게 한번 바라보자.

취업을 준비하는 취준생들의 이야기가 뉴스에 많이 등장한다. 그들에게 꿈이 무엇이냐고 물으면 ○○ 기업에 취직하는 것이라고 한다. 취업이 꿈이 될 수 있을까? 취업이 꿈인 그들이 자신의 적성에 대해 잘 알고 있는지가 궁금하다. 세상은 넓고 할 일은 많다는데, 그들은 바늘구멍 같은 대기업 공채에 열을 올리고 있다. 부모님이 깔아준 아스팔트길만 걸어왔고, 앞으로 나아갈 길도 사람들이 몰리는 길만을 고집한다. 고속도로에 몰려드는 자동차처럼, 그들은 자신이 어디를 향해 가고 있는지 알지도 못한 채 남들이 간다는 이유만으로 들어서고 있다.

지금은 자동차마다 있는 내비게이션. 언제부터인가 운전자들은 출발하기 전에 목적지를 설정하지 않으면 불안해한다. 내비게이션에 의존해서 운전을 하다보면 새로운 길을 발견하는 재미가 없어진다. 가끔은 내비게이션 없이 목적지를 찾아가다가 생각지도 않게 감각적인 카페를 찾을 수도 있고 맛집을 찾을 수도 있다. 잘못 들어선 골목길이 지름길이 될 수도 있고 막힌 도로를 우연히 피하게 되는 운 좋은 경험을 할 수도 있다. 항상 습관처럼 하던 행동을 과감하게 바꾸어 보면 생각지도 않은 곳에서 나를 발견하는 좋은 경험을 할 수 있다.

'말하는 걸 싫어해', '책 읽는 게 재미가 없어', '사람들 만나는 게 너무 피곤해', '정리하고 살림하는 건 나랑 안 맞아', '난 요리를 못해!'

내가 알고 있는 나의 모습이 진정한 나의 모습이 아닐 수 있다. 내가 좋아하지 않는다고 시도조차 하지 않고 수많은 기회를 지나쳐 버렸을 수도 있다.

나는 원래 아이를 안 좋아하는지 알았다. 하지만 아이들을 키우는 과정 속에서 사랑으로 대하는 방법을 알게 되면서 아이들을 좋아하게 되었다. 정리하고 살림하는 것을 시간 낭비라고 생각했지만, 이왕 할 거라면 효율적으로 해야겠다고 다짐을 했다. 요령을 알게 되자 짧은 시간에 해낼 수 있었고, 정리된 집을 보면서 보람을 느끼고 재미를 알게 되었다. 내가 싫어한다고 생각했던 일들이 즐거워지면 내가 알지 못했던 나의 모습을 보게 되고, 새로운 것에 도전할 수 있다는 자신감이 생긴다.

또한 나는 스스로 절대 새벽형 인간이 될 수 없다고 철석같이 믿었다. 하지만 책 읽는 것을 즐기고 책 쓰는 것을 시작하면서 스스로 새벽에 일어나고 싶다는 욕구가 생겼다. 그리고 시간을 효율적으로 쓸 수 있는 방법을 찾아서 하나씩 실천하게 되었다.

당신이 성격과 적성을 운운하면서 드라마에 빠져 있고 늦잠의 행복에 빠져 있다면 아직 자신이 원하는 것을 찾지 못했기 때문이다. 내게 주어진 일과를 즐거운 마음으로 최선을 다하여 수행하고, 어느 순간 가장 행복했는지 돌아보자. 그 속에 잠들어 있는 거인이 자신을 깨워주기를 기다리고 있다. 지금은 잠들어 있는 거인을 흔들어 깨워야 할 때이다. 바로 그때 성장하는 인생이 시작된다.

02

엄마, 어른들도 꿈이 있어?

요즘 부쩍 장래희망에 대해 관심이 많은 딸아이가 어느 날 내게 물었다.

"엄마, 어른들도 꿈이 있어?"

"글쎄, 사람마다 다르겠지?"

아이의 당돌한 질문에 어떻게 대답을 해야 할지 당황스러워 대충 얼버무렸다. 아이들의 미래에 대해 끊임없이 참견하는 어른들은 어떤 꿈이 있는지 궁금했나 보다. '꿈 없이 살아가는 엄마의 모습이 아이의 눈에 보였나?' 싶은 생각에 순간 창피하면서도 한편으로 아이만큼이나 나도 궁금했다. 어른들은 왜 꿈이 없는 것일까?

아마도 어린 시절 내가 꿈을 향해 나아가는 어른들을 본 적이 없기 때문일 것이다. 나 역시도 꿈은 30대가 되면 이루어야 하는 것으로 여겼던 것 같다. 30대에는 그럴듯한 사람이 되어 있어야 하고 그때까지 꿈을 이루지 못했다면 그때까지 아무것도 되어 있지 않는다면 더 이상의 기회는 없는 줄 알았다. 30대 이후에는 그전에 이루어 놓은 것으로 남들처럼 평범하게 살아가는 것이 정답인 줄 알았다. 어른들은 성장은 없고 그저 그 자리에 머무는 사람인 줄 알았던 것이다. 그래서인지 아이의 꿈이 발레리나라고 해도 내심 나의 마음 한구석에는 '무슨 발레리나야? 그게 먹고살기 얼마나 어려운 줄 알아? 하긴 그땐 그런 것이 하고 싶을 때지'라며 아이의 꿈이 현실적이지 않다며 반기지 않았는지 모르겠다. 아이의 꿈을 나의 기준에서 생각하고 내 멋대로 장래희망을 결정지으려 했던 나의 모습이 생각나자 아이에게 미안함이 느껴졌다.

나는 이 사건을 계기로 '아이에게 어른도 꿈을 가질 수 있다'는 것을 증명해 보이기로 했다. 부모님이 살아온 방식을 나도 모르게 답습하게 되듯이 아이가 나의 모습을 그대로 닮아간다는 생각을 하자 긴장이 되었다. 발레리나도 되고 싶고 화가도 되고 싶고 피아니스트도 되고 싶다는 꿈 많은 아이에게 꿈은 이룰 수 있는 것이라는 것을 직접 보여주고 싶었다. 힘들고 피곤할 때면 '너무 늦은 것이 아닐까?', '괜한 짓하면서 시간 낭비하는 것이 아닐까?'라는 생각이 나를 흔들기도 했다. 하지만 아이에게 당당하게 꿈을 이룬 엄마의 모습을 기필코 보여주고 싶다는 결심은 그 어떤 것보다 나에게 큰 동기부여가 되어 주었다.

20대까지는 세상이 나를 중심으로 돌아간다고 생각했다. 하지만 결혼을 하고 아이를 키우는 동안 그 당당함은 사라졌다. 아이들을 위한다는 핑계로 회사를 쉬고 전업주부의 생활이 시작되면서 내 이름은 동사무소에서만 사용되었고, 어느새 누구의 엄마로만 살아가고 있었다. 그것이 아이들을 위한 길이고, 가족을 위한 것이고, 또한 나를 위한 것이라고 생각했다.

건전지가 닳아 느려지는 시계처럼 나의 인생 시계는 점점 느리게 가고 있었다. 그 앞에는 항상 아이들을 위한 것이라는 당당한 핑계가 있었다. 나를 위한 시간을 갖기 위한 노력은 '둘째가 돌이 지나고 나면'에서 '두 돌이 지나면'으로 늦춰졌고, 다시 '큰 애가 초등학교 가면'으로 미뤄지고 있었다.

'정말 나는 아이들을 위해 미루고 있는 것일까?'

어느 순간 헷갈리기 시작했다.

'혹시 이렇게 편하고 느리게 사는 것을 멈추고 싶지 않은 것이 아닐까? 다시 내 자신을 집 밖으로 내보낼 생각이 없는 것이 아닐까?'

큰 아이가 꿈을 물어 본 이후로 지금 당장 변화해야 한다는 위기의식은 나로 하여금 스스로에게 묻게 만들었다.

'넌 지금 아이들을 위해 미루고 있는 거 맞아? 혹시 귀찮은 거 아니야? 네가 힘든 게 싫은 거 아니야?'

그동안 외면했던 불편한 진실 앞에 나를 세웠다. 그러자 여태껏 외면했던 무서운 진실이 보이기 시작했다.

딸아이의 꿈 이야기 사건을 계기로 예전에 호주에서 여행을 하면서 만났던 언니가 생각이 났다. 그 언니의 엄마는 과일을 먹을 때 남은 자투리를 자신이 먹지 않고 자식들과 남편에게 준다고 했다. 엄마도 맛있는 거 먹을 줄 안다는 것을 항상 가족들에게 인지시키고 맛있는 부분을 자신도 당당하게 같이 드신다는 것이다. 그런 엄마를 가장 존경한다는 언니의 이야기에 나도 자식들에게 당당한 모습으로 살아야겠다는 생각을 했었던 때가 생각이 났다.

두 아이의 엄마가 된 지금 그 결심을 지키는 것이 쉽지 않다. 밥값보다 과일값이 더 들어가는 현실 속에서 자식들 입에 더 맛있는 것을 주고 싶은 부모 마음은 어쩌면 당연한 것일는지 모른다. 하지만 진실 앞에 마주한 나의 모습은 아이들을 핑계로 나의 가치를 스스로 낮추고 있다는 것이었다.

그래서 나는 아이들을 위해서라도 당당한 엄마가 되기로 했다. 엄마는 너희들을 위해 모든 것을 희생하는 사람이 아니라는 것을 인식시켜 주고 싶었다. 나의 존재를 알리고 싶었다. 엄마도 엄마만의 시간이 필요하고, 꿈을 가질 수 있다는 것을 보여주어야 아이들도 나를 존중해 줄 것 같았다.

나부터 나를 존중해 주어야 아이들도 '엄마는 자신을 키워주고 보호해주는 소중한 존재'라는 것을 받아들일 것 같았다. 그러기 위해 우선 스스로에게 솔직해지기로 했다. 나의 가치를 낮춘 사람은 내 자신이었고 그 이유는 나태해졌기 때문이었다. 여자로, 엄마로, 아내로 당당해지기 위해 부지런해지기로 결심했다.

만일 당신이 아이들을 위한다는 이유로 희생하고 있다고 생각한다면 조금 자신에게 솔직해질 필요가 있다. 정말로 자식을 위해서 희생하고 있는 것인지, 변화가 두려워 희생이란 이름으로 치장하고 있는 것은 아닌지 말이다.

"어른도 꿈이 있어?"라고 물었던 딸은 이제는 이렇게 묻는다.

"엄마는 꿈이 뭐야?"

현재 진행형의 질문은 딸로 하여금 엄마가 지금도 꿈이 있고 그것을 해내기 위해 노력하고 있다는 것을 안다는 것이다. 엄마의 꿈이 '엄마의 이름으로 나온 책'을 쓰는 것이라는 것을 알게 된 딸아이는 책장 가득 꽂힌 책 이것저것을 가리키며 '이게 엄마 거야? 저거야? 엄마가 쓴 책 나중에 꼭 나줘!'라고 이야기한다. 이렇게 나의 꿈을 채찍질하는 아이들을 보면서 다시 한 번 다짐한다.

"엄마가 꿈을 이루는 것을 꼭 보여줄게. 꿈은 이룰 수 있는 거야."

내가 하고 싶은 일을 찾아가는 여정은 평탄하지만은 않다. 때론 아이들의 애절한 눈빛을 외면해야 하기도 하고 남편의 무시와 불만 앞에 무방비 상태로 놓여지기도 한다. 온전히 아이들과 집안일에 향했던 시간들을 나의 꿈과 쪼개서 나눠 써야 하기 때문이다. 그 과정 속에서 많은 여성들은 포기해 버리고 만다.

그럴 때마다 기억하자. 엄마가 행복해지는 것은 아이들과 가정이 행복해지기 위한 기본이라는 것을 말이다. 엄마의 에너지만큼 아이들의 꿈은 커진다. 아이들은 부모가 보여주는 만큼의 꿈을 꾼다. 아이들을 위해서도 내가 하고자 하는 것을 찾아 매일 행복에너지를 충전해야 한다. 아이들과 집안 일에 나의 모든 시간을 보내는 것은 지금 당장은 크게 문제가 될 것이 없어 보이지만, 언젠가는 엄마의 행복에너지는 고갈되고, 나중에는 행복에너지를 충전하기 위해 가족들이 희생되어실지도 모른다.

내가 원하는 것을 찾아가는 것의 시작은 '나를 위해 투자할 시간을 찾는 것'으로부터 시작된다. 오늘 나의 하루를 돌아보자. 당신의 24시간은 어떤 일들로 채워져 있을까? 스마트폰을 보고 있는 시간, 드라마를 보고 있는 시간, 주변 사람들과 수다를 떨며 보낸 시간, 살 것도 없으면서 마트를 돌아다닌 시간들을 합치면 족히 서너 시간은 될 것이다. 흘려보내는 시간을 찾아내서 줄이는 습관을 들여보자.

아이의 학원 쫓아다니랴, 학교 행사에 얼굴 비추랴, 시댁과 친정에 행사는 왜 이렇게 많은지 일일이 다 챙기다 보니 정신이 없다. 점심 먹은 것을 치우고 나면 저녁에는 또 뭘 먹나 고민하면서 하는 일 없이 바쁜 하루가 지나간다. 매일 해야 할 일투성이인데 나만을 위한 시간을 확보하는 것이 쉽지는 않을 것이다. 어디서부터 무엇부터 바꿔야 할지 모르겠다면 모든 것을 다 내려놓고 한 걸음 뒤에 물러서서 바라보자.

지금껏 시간을 보낸 방식으로는 나만을 위한 시간을 낼 수 없다. 아침 10시부터 오후 3시까지는 무조건 나를 위한 시간이라고 못 박아 놓아야 한다. 무슨 일이 있어도 그 시간은 나만의 시간이라고 명심을 하는 것부터 시작해보자.

밀린 책을 보아도 좋고, 서점을 들러도 좋다. 도서관이나 지역단체에서 하는 강좌나 프로그램을 등록하는 것도 괜찮다. 하나 다음이 둘 이듯, 한 가지를 시작해보면 그다음에 할 일은 찾아진다. 하나, 둘, 셋 순서를 밟아 가다 보면 내가 어디로 가야 하는지 길이 보이기 시작한다.

미래를 위해 시간과 노력을 투자하라고 이야기할 때 시간이 없다는 말은 하지 않기를 바란다. 그동안 생산성 없이 흘려보냈던 시간들을 붙잡으면, 지금 하고 있는 것 중 하나도 포기하지 않고 나만의 시간을 가질 수 있다. 시간을 확보했으니 시간을 어떻게 사용할 것인지에 대해서 고민하면 된다. 그 시간만은 나를 위해서 쓴다고 생각을 하고 그동안 하고 싶었던 것들에 도전해보자.

처음에는 불안하겠지만, 막상 겪어 보면 생각보다 아이들과 집안이 잘 돌아간다. 나를 믿고, 아이를 믿고, 남편을 믿고 내가 원하는 것을 이제는 시작해보자. 나를 위한 시간을 갖는 것은 엄마로서의 도리를 저버리는 것이 아니다. 엄마가 바로 서는 것이 그 어떤 일보다 중요한 것임을 잊어서는 안 된다. 나를 먼저 챙기는 것이 결과적으로 나와 아이와 남편, 가정을 위하는 것임을 항상 기억하자.

03

안전한 길만큼
위험한 길도 없다

"지금 낮잠을 자면서 흘리는 침이 나중에 피눈물로 돌아옵니다."

예전에 한 강연에서 들은 이야기이다. 강사는 주부들에게 남편 출근하고 아이들 등교시킨 후에 절대 소파에 누워 리모컨을 집어 들지 말라고 말했다. 오전에 낮잠 자고 있을 때가 아니라는 것이었다. 가장 한 명이 가정의 삶을 책임지는 것은 시간이 갈수록 불가능해지기 때문이라고 했다.

얼마 전 신문에 실물 경제가 최악의 상황이라는 기사가 실렸다. 경제상황이 최악이라는 기사는 수년째 계속되고 있다. 우리가 어렸을 때는 예금금리가 10%가 넘었다. 월급에서 남는 돈은 예금을 하고 어느 정도 목돈이 모이면 전세를 끼고 집을 샀다. 집값은 꾸준히 올랐고, 경제는 호황이라 하는 일마다 잘되었다. 그렇게 살아온 부모님들의 생활방식을 우리는 따라할 수 없다. 예금 금리는 2% 수준이고, 그나마 매달 적금할 여유도 없다. 2년마다 돌아오는 전세 계약금을 대출받아 올려주다 보니 수입의 일정 부분은 대출이자를 내는 것만으로 빠듯하기 때문이다.

힘들 때마다 '내년은 경기가 좀 나아지겠지' 하며 경기가 회복되기를 기다리고 있지만, 경기가 회복되기는 힘들다. 우리나라는 이미 선진국의 대열에 들어갔기 때문에 폭발적으로 경제가 성장할 수 있는 단계가 지났기 때문이다. 21세기 한국에서 살아가는 우리는 새로운 방식에 적응해야 한다. 경제 둔화 속에서 살아갈 길을 모색해야 하기 때문에 케케묵은 우리의 고정관념은 버려야 그나마 남들처럼 살아갈 수 있다.

경제 둔화에 있는 나라에서 맞벌이는 필수다. 투잡은 필수, 쓰리잡은 선택이다. 남편이 지금 가정 경제를 책임지고 있다고 해도 남편의 5년 후는 아무도 보장해주지 않는다. 철밥통이라는 공무원의 연금을 개혁하겠다며 정치권은 두 팔 걷고 나섰다. 이젠 나라도 회사도 그리고 남편도 나의 미래를 책임져주지 않는다.

50대 이후의 가정은 여성들 손에 달렸다. 결혼해서 30년은 남편이 가정을 책임졌다면 그 이후 30년은 여성이 책임져야 한다. 최근 한 통계에 따르면 50대의 취업률이 20대의 취업률을 앞섰다고 한다. 남편들이 사회생활을 관두는 시점이 앞당겨지면서 집안의 경제를 여성들이 책임져야 하는 경우가 많아진 것이다. 50대가 되면 내가 가정의 경제를 책임져야 함은 거부할 수 없는 변화 중의 하나이다. 믿고 싶지 않겠지만, 피할 수 없는 현실인 것이다. 당신이 이 사실을 알면서도 아무런 준비를 하지 않는 것은, 무섭다고 머리만 숨고 꼬리는 내놓는 타조의 모습과도 같다. 가정에 경제적 위기는 분명히 다가온다. 인정하고 준비하는 것이 최고의 선택이다.

어린 시절 아버지는 군인이셨다. 초등학교 2학년 때 아버지는 퇴직을 하셨고, 퇴직금을 가지고 서울로 올라와 동대문시장에서 도매로 의류장사를 시작하셨다. 경기를 타서 처음에는 잘되는 듯했지만 몇 년 후 퇴직금을 다 까먹고 집에 있던 살림살이에는 압류딱지가 붙을 정도로 집안의 경제는 무너져갔다. 결혼하고 아이만 키웠던 엄마는 그때부터 본격적으로 직업전선에 나서야만 했다. 넷이나 되는 아이들과 시부모님까지 모시고 살아야 했기 때문에 평일에는 식당으로 주말에는 예식장으로 쉬는 날 없이 일을 하셔야 했다.

엄마의 희생 덕분에 나는 대학을 입학할 수 있었다. 하지만 한번 기울어진 집안의 경제 상황은 쉽게 풀리지 않았다. 우리가 커갈수록 부모님도 나이가 드셨고 그럴수록 할 수 있는 일의 종류는 줄어들었다. 그런 부모님의 모습을 옆에서 지켜보면서 나는 결심했다. 절대 나의 미래를 남에게 기대지 않겠다고 말이다. 순탄치 않은 학창 시절을 보내는 동안 내 머릿속에는 '지금의 생활이 안정적이라고 해서 그것이 언제까지 유지될 수는 없다'는 생각이 자리 잡았다.

불안정했지만 열정적이고 자신감 넘치던 20대 후에 찾아온 결혼생활은 안정적이었고 행복했다. 커가는 아이를 보면서 느끼는 소소한 행복은 그 어떤 유혹보다 달콤했다. 살림과 육아에 치어 생각하는 습관을 잊게 되면서 어려운 결정은 모두 남편에게 맡겼다. 어느 순간에는 복잡한 생각은 귀찮아졌고 서서히 단순하고 의존적으로 변해갔다.

토요일 아침 피곤에 지쳐 늦잠 자는 남편을 원망하는 나의 모습을 보며 번쩍 정신이 들었다. 남편을 탓하며 아이들과 외출할 생각을 하지 못하는 내가 한심하게 느껴졌다.

'내가 왜 이렇게 됐지? 언제부터 이렇게 수동적으로 살게 된 것일까?'

안정적인 생활에 젖어 정작 중요한 나 자신을 잊고 살고 있음을 깨달았다. 시간이 갈수록 부정적으로 변하는 나를 더 이상 방치해서는 안 되겠다는 생각이 들었다.

"지금 무언가가 잘못됐어. 안정된 삶과 나의 행복은 비례하지 않을지도 몰라. 나 자신을 찾지 못하고 아이의 행복이 나의 행복이라고 여긴다면 지금의 행복은 신기루처럼 사라져 버릴지도 말지도 몰라."

'뛰기 전에 걸어라!'

단순한 문장이지만 실천이 쉽지 않다. 지금 앉아 있던 엉덩이를 떼고 조금씩 걸어야 한다. 서 있으면 앉고 싶고, 앉으면 눕고 싶고, 누우면 자고 싶은 것이 사람의 본능이다. 그래서 편히 앉아 있다가 걷는 것은 쉽지 않다.

하지만 평생 앉아만 있을 수는 없다는 걸 다 알고 있지 않는가?

앉아 있다가 잠깐 누울까 하는 생각이 들었다면 어서 털어내고 일어나야 한다. 그리고 가야할 길을 가야 한다. 걷다 보면 생각보다 걷는 것이 힘들지 않다고 느껴진다. 조금 더 지나면 일어나 걷기를 잘했다는 생각이 들 것이다. 걷다 보니 앉아서 쉴 때는 보이지 않던 풍경도 보이고 즐거움도 느껴진다. 그러다가 빨리 걷고 싶기도 하고 뛰고 싶어지기도 한다. 물론 잠깐 멈추어도 된다. 미리 걷기 시작한 사람은 뛰다가 숨이 턱까지 막히면 잠시 쉴 수 있는 여유를 선택할 수 있다.

하지만 준비 없이 앉아 있다가 눈앞에 위험이 닥쳐 뛰기 시작하면 힘들다. 즐겁지도 않고, 뛰어야만 하는 상황을 피해버리고만 싶어진다. '미리 걸어둘 걸' 하는 후회가 들면서 점점 힘이 빠진다. 후회해야 되돌릴 수도 없다. 뛰어야 할 때 뛰기 시작하면 너무 힘들고 지쳐도 잠시 쉴 수조차 없다.

안전한 길을 택하는 만큼 위험한 일도 없다. 눈으로 보기에는 평탄해 보이지만 그 뒤는 낭떠러지일 수 있다. 반대로 가시밭이 험난한 길처럼 보여도 조금만 지나면 평탄한 길이 나올 수 있다. 이처럼 인생은 눈앞에 보이는 것이 전부가 아니다.

"의대 교수로 재직하면서 바이러스 백신을 연구할 때 최대의 고민은 바로 백신 개발에 필요한 최첨단 기술을 공부할 시간이 없다는 것이었습니다. 그래서 꾀를 냈습니다. 잡지사에 전화해서 최신 기술에 대한 기사를 연재하겠다고 했어요. 당시 그것에 대해 전혀 모르는 상태였기 때문에 너무 힘들었지만 매번 발등에 불이 떨어지니 원고 마감까지 자료를 찾고 원고를 쓸 수밖에 없었어요. 그 일을 계기로 그 분야에 대해 잘 알게 되었고, 덕분에 여러 가지 일을 할 수 있었습니다."

안철수 씨는 자신이 목표한 것을 해내기 위해서 스스로 시련을 만들었다. 이처럼 성공한 사람들은 시련이 자신을 흔들기 전에 스스로를 흔든다. 주변 환경에 의해서 흔들리는 것과 스스로 흔드는 것의 효과는 천지 차이다. 스스로 흔든 경우는 헤쳐나가고자 하는 의지가 있다. 하지만 타의에 의해 흔들린다면 하지 않을 핑계를 찾기에 바쁘다.

누구에게나 시련은 닥친다. 작은 시련에도 힘들어하는 사람이 될 것인가? 큰 시련도 아무렇지 않게 덤덤히 넘는 사람이 될 것인가? 스스로 만든 시련을 넘으면서 시련 극복지수를 높이다 보면 운명이 만들어 놓은 크나큰 파도도 넘을 수 있다. 예상치 않았던 파도에 당황하지 않고 올 것이 왔다고 덤덤히 받아들이는 선장이 되어 나의 배가 풍랑 속에서도 헤쳐나갈 수 있는 사람이 되자.

'시간이 없다, 돈이 없다, 아이가 어리다'는 핑계로 지금의 자리에서 안주해서는 안 된다. 주변 상황을 핑계로 지금의 편안함만을 누리다 보면, 내가 선택해야 하는 인생의 선택지가 줄어든다. 능동적으로 나의 인생을 리드할 것인가? 아니면 되는대로 살면서 남 탓만 하고 살 것인가?

지금 앉아 있는 그 자리가 평생의 편안함을 제공하지 않는다. 편안함에 익숙해진 자리에서 툭툭 털고 일어나 다가올 시련을 위해 준비하자. 한 번 넘어본 크기의 시련은 더 이상 시련이 아니다. 감당하지 못할 크기의 시련은 없다. 미리 준비해 놓느냐 못하느냐, 이미 넘었느냐 못 넘었느냐의 차이만 있을 뿐이다.

04

내가 잘할 수 있는 것을 알게 되는 순간

얼마 전 2학년 딸아이를 키우는 친구가 놀러왔다. 아이가 국어는 잘하는데 수학을 못하는데 걱정이라며 과외를 시켜야 하나 고민 중이라고 했다. 그 친구가 고등학교 때 수학을 싫어했던 모습이 떠올라 웃으며 이야기했다.

"너 닮아서 그런 걸 어쩌겠어? 너도 과외 많이 했잖아. 그래서 좋았어?"

"좋기는. 하기 싫은데 대학 가려고 했지. 근데 돈 아까워."

대답하던 친구는 자신의 대답 속에서 무언가를 느꼈는지 잠시 말없이 생각에 잠겼다. 우리나라에서 말하는 모범생은 올백을 맞는 학생이다. 영어, 수학, 과학, 국어 등 모든 과목과 운동, 음악을 두루두루 잘하는 학생이 인정받는다. 수능에서 모든 과목을 1등급 받아야 상위권 대학을 갈 수 있고,

학점이 좋고 토익 점수가 좋아야 대기업 공채에서 서류 면접에 통과할 수 있다.

모든 것을 잘하는 모범생은 어떻게 보면 엄친아일 수도 있지만 반대로 생각한다면 뭐하나 특출하게 잘하는 것이 없다는 말이기도 하다. 하지만 지금 우리 교육의 현실은 아이들의 재능을 살리기보다는 평균이 높은 아이들을 만들어내는 데 치중하고 있다.

초등학교 저학년까지는 피아노, 수영, 태권도, 바둑 등 수많은 예체능을 시키지만, 고학년이 올라가면서 취미생활로도 하지 못하는 것이 대한민국 교육의 현실이다. 체육 특기나, 음악, 미술로 진로를 정하는 학생들을 바라보는 시선은 '집이 부자인가 보다', '혹은 공부를 못하나 보다'라는 인식이 깔려 있다. 아이들조차도 중학생이 되면 부모님께 미술을 하고 싶다거나 운동을 하고 싶다는 이야기를 선불리 꺼내지 못한다.

부족한 것에 집중을 하다 보면 잘하는 것은 어느새 평범해져 버리고, 못하는 것을 억지로 시키다 보면 강박감에 스트레스를 받아 자신감이 떨어진다. 사람들은 다른 모습만큼이나 각자 다른 재능을 가지고 태어난다. 노래를 잘하는 것도 재능이고, 운동을 잘하는 것도 재능이다. 말을 맛깔나게 잘하는 것도 재능이고, 처음 듣는 음악에 리듬을 타며 춤을 잘 추는 것도 재능이다. 하지만 사회는 이런 재능은 쓸데없는 것이라 여기고 오직 공부만을 장점으로 여기고 있다.

"이번 문제 풀어볼 사람 손 들어봐."

학창 시절 수업시간에 선생님은 이렇게 이야기하시며 교실을 둘러보곤 했다. 나는 손을 들고 싶었지만 스스로 나서기가 두려웠다. 속으로 '날 시켰으면……' 하며 선생님을 바라보지만 기회는 손을 든 친구에게 넘어갔다. 그럴 때마다 손들 걸, 하면서 후회했다. 그런 소심함 때문에 공부를 꽤나 잘했음에도 자신감은 없는 편이었다. 시험 성적이 잘 나오면 오히려 불안해했다.

'내 실력은 이 정도가 아닌데 이번은 운이 좋아서 시험을 잘 본 것뿐이야. 다음에 들통 나지 않으려면 더 열심히 해야겠다.'

이렇게 계속 스스로를 괴롭혔다. 자신감 있는 사람이 되고 싶었지만 나의 바람과는 반대로 사람들 앞에만 서면 목소리부터 떨리기 시작했다. 회의시간이면 입을 꾹 다문 채 누가 내 이름을 호명하기 전에는 말 한마디조차 하지 못했고, 중요한 프레젠테이션은 긴장한 나머지 준비한 것을 다 발표하지도 못하고 끝내곤 했었다.

결혼 전 나는 인천공항이 있는 영종도 공항 신도시에 살았다. 인천공항이 개항하던 2001년, 공항 신도시에는 차와 사람들이 그다지 많지 않았다. 대부분이 스케줄 근무를 하는 공항 상주 직원들과 가족들뿐이었다. 그래서 퇴근 후 텅 빈 도로에서 취미 삼아 인라인을 타기 시작했다. 당시 인라인 돌풍이 불었던 때라 함께 타고자 하는 사람들이 조금씩 생겨났다. 그들과 정기적으로 모임을 갖기 시작했고 동호회를 만들었다. 온라인에 카페를 개설하고, 오프라인 모임도 갖게 되면서 규모가 점차 커졌다. 초창기 멤버였던 나는 자연스럽게 운영진으로 활동하게 되었다.

나는 정모계획을 세우고 회원들에게 연락을 했다. 운영진 회의에 참석하여 동호회 운영을 위한 규정을 만들고 교육과 관련된 커리큘럼도 만들었다. 신입회원이 들어오면 불편하지 않도록 챙겨주기도 하고 인라인의 기본 동작을 가르쳐 주기도 했다. 이렇게 시작된 퇴근 후의 동호회 활동은 삶의 활력을 주었을 뿐 아니라 나의 또 다른 모습을 찾는 기회가 되었다.

남들 눈치 보느라 앞에 잘 나서지도 못하던 내가 새로운 사람들과 친해지고 그들을 도와주는 과정에서 내가 알지 못했던 나의 장점을 발견하게 된 것이다. 운영진이라는 책임감은 회원들을 챙기고 그들에게 도움이 되어야 한다는 마음을 들게 했다. 그 속에서 나는 사람들과 소통하는 역할을 주로 하게 되었고 상대방을 편하게 하는 소질이 있음을 알게 되었다. 새로운 사람들을 만나는 것이 힘들지 않았다. 먼저 다가가는 것도 부담스럽지 않았다. 오히려 그들이 나를 편하게 생각하고 나의 도움을 고마워한다는 것이 행복했다.

그동안 나는 자신감 없는 모습만을 바라보느라 장점이 무엇인지 생각조차 하지 않았다. 사람들 앞에서 조리 있게 말을 잘하고 주변 사람들을 유쾌하게 만드는 것이 자신감 있는 사람들의 행동이라고 생각했었기에 그렇게 하지 못하는 내가 바보같았다. 어떻게 하면 자신감을 가질 수 있는지 고민하다 스스로 괴롭히기만 했다.

하지만 나의 장점을 알게 되자 남들 눈에 멋져 보이고 당당해 보이기 위해 노력할 필요가 없었다. 내가 잘하고 좋아하는 것을 즐겁게 하니 그 모습만으로 충분히 빛이 나기 때문이다.

내가 남들보다 잘할 수 있는 것을 알게 된 순간 전에 없던 당당함이 생긴다. 장점은 갑자기 생겨나는 것이 아니다. 단점에 덮여 보이지 않았던 나의 또 다른 모습이 빛을 보았을 뿐이다. 사람들은 사소한 실수라도 하면 내가 왜 이랬을까 하는 자괴감에 빠져 든다. '나는 하는 것마다 왜 이런 걸까?'라며 후회스러운 생각으로 자신을 더 이상 괴롭혀서는 안 된다. 그럴수록 나의 장점은 점점 빛을 잃기 때문이다.

나에게도 분명 다른 사람보다 나은 점이 있다. 정이 많을 수도 있고, 다른 사람들의 이야기를 잘 들어주는 사람일 수도 있다. 말을 재미있게 잘하는 것도 큰 장점이고, 옷을 센스 있게 잘 입는 것도 남들이 부러워할 장점이다. 단점을 생각하기보다는 장점을 찾는 습관을 들여보자. 물론 장점을 찾는 것이 쉽지 않을 수도 있다. '그게 장점이야?' 하며 의문이 생길 수도 있다. 하지만 나의 사소한 장점도 누군가가 부러워하는 매력일 수 있다고 생각해보면 어떨까? 이러한 생각은 자신감을 높여주기 때문에 나의 단점을 보완해 주고 나를 더 돋보이게 할 것이다.

친한 지인 중에 자존감이 약한 사람이 있다. 그분은 다른 사람들이 부탁하는 것을 거절하지 못하면서 정작 자신이 필요할 때 누군가에게 부탁하지 못했다. 항상 손해 본다는 생각이 들지만 '아쉬운 소리 하느니 안 하고 말지'라며 참고 넘어가는 경우가 많았다. 거절도 못하고 상처만 입는 그분은 '난 바보인가 봐. 왜 싫다는 말을 못할까?'라며 속상해했다. 자신의 모습을 못마땅해 하는 언니에게 난 이렇게 이야기해 주었다.

“거절 못 하는 건 언니가 착해서 그래. 상대방 입장에서 생각하면 언니가 부탁을 들어줄 상황이 아닌데 거절 못하고 해줬다는 걸 알면 더 미안해하지 않을까? 거절하면 싫어할까 봐 다 들어주는 것이 그 사람을 위하는 게 아니야.”

그리고 이렇게 덧붙였다.

“언니, 언니는 주변 사람들이 많이 신뢰를 하는 것 같아. 그러니까 부탁을 많이 하고 싶어 하는 것이 아닐까? 언니는 한 말에 대해서 꼭 약속을 지키잖아. 상대방이 지나가면서 하는 말도 기억하고 있다가 잘 챙겨주고. 난 언니한테는 어떤 말을 해도 다른 사람한테는 이야기하지 않을 것을 아니까 속 편하게 이야기를 할 수 있는 것 같아. 그런 언니가 난 너무 좋아.”

자신이 알지 못한 장점을 이야기해주자 그것도 장점이냐며 웃긴 했지만 조금은 자신감을 갖게 되지 않았을까 생각한다. 자신에게 교만한 것은 나쁘지만, 또한 너무 겸손한 것도 독이 된다. 자신의 장점에 대해서는 칭찬도 해주고 자랑스러워 해보는 건 어떨까? 나의 장점을 찾기 시작하면 다른 사람의 장점도 눈에 띄게 되고 자연스럽게 상대방을 칭찬해 줄 수 있을 것이다.

여자들의 경우 나이가 들어가면서 인간관계가 좁아진다. 특히 결혼과 출산을 하면서 그 폭과 속도는 급속도로 좁아진다. 아이를 중심으로 새로운 인간관계가 형성되지만 깊은 관계를 형성하지는 못한다. 이사 가면 연락이 끊기는 그저그런 형식적인 인간관계가 주를 이룬다.

사람들은 나이가 들수록 보기 싫은 사람은 안 만나고, 하기 싫은 일은 안 하고, 편한 일만을 하는 삶을 이어간다. 그런 생활을 하다보면 나의 장점을 파악하기 어려워진다. 원치 않는 것을 억지로 하고, 상대방에게 나를 낮추어 보면서 아쉬운 소리도 해보아야 나의 진정한 장점이 드러나기 때문이다.

'난 아이들 마음을 잘 읽는구나', '난 어른들하고 소통을 잘하는 것 같아', '나는 협상을 잘하네?', '사람들 가르치는 것이 재미있어' 하면서 내가 해보지 않은 것을 하려고 극복하는 과정에서 즐거움을 발견하게 된다.

'잘하는 게 없어. 난 왜 이러지? 난 이런 거 원래 못해!'

이런 생각은 지금 당장 옆에 있는 쓰레기통에 버리도록 하자. 그리고 매일 습관적으로 하는 행동들을 '이것이 나의 장점이 아닐까?', '이건 내가 다른 사람보다 잘하는 것 같아'라는 관점으로 바라보자.

당신도 할 수 있다. 지금 이 나이에 뭘 하느냐고? 아직 우리는 인생의 절반도 살지 않았다. 남은 시간은 내가 주도적으로 살 시간이다. 지금부터라도 나의 장점을 찾아내서 주도적으로 살아가자. 생각을 바꾸는 것만으로도 일상은 행복으로 가득 차고, 행복으로 가득 찬 일상은 당신의 인생을 바꿀 것이다.

05

시련은
훈련된다

초등학교를 입학한 딸아이는 2시에 방과후수업을 마치고 2시 45분에 오는 발레학원 버스를 학교 앞에서 탄다. 아이의 스케줄에 나의 모든 시간을 맞출 수가 없어 혼자 할 수 있도록 습관을 들였다.

휴대폰은 사주지 않고 손목시계 하나를 사주었다. 주변에서는 불안하지 않느냐고 걱정스레 물어보지만 나의 고집을 꺾지 않았다. 2시에 끝나는 수업, 45분에 타는 버스, 이 시간에 무엇을 할 것인지를 아이에게 온전히 맡겼다. 세상이 무서워지고 불안해지기는 했지만 부모가 아이에게 24시간 붙어 있을 수만은 없다고 생각했다. 생각지도 않은 상황에서 습관적으로 엄마에게 묻기보다는 아이 스스로 고민하고 선택할 수 있기를 바랐기 때문이다.

아이는 생각보다 더 잘해내 주었다. 방과 후 버스를 기다리는 동안 학교 도서관에서 친구들과 책을 읽기도 하고 운동장에서 놀기도 했다. 자신이 알아서 해야 한다는 것을 알고 있어서 항상 시계를 보면서 버스가 올 시간을 스스로 잘 지켰다.

그러던 어느 날 2시 20분쯤 집에서 전화가 걸려왔다. 진동 소리를 듣지 못해 전화를 받지 못했고, 전화가 온 것을 확인하고 5분 후에 바로 걸어보았지만 아무도 받지 않았다. 보통 집에서 오는 전화는 딸아이가 집에 도착했을 5시쯤에나 오는데 이 시간에 왜 전화가 온 거지? 지금은 집에 있으면 안 되는데? 아픈가? 아니면 오늘은 발레를 가기 싫어서 집에서 쉬고 싶은가? 학교에서 무슨 일 있었나? 아이가 엄마를 찾으며 울면 어떡하지? 오만 가지 생각이 머릿속을 떠다녔다.

휴대폰이라도 사줄 걸 하는 후회도 들고 내가 아이를 너무 믿었나 하는 생각에 아무것도 할 수 없었다. 잠시 마음을 가라앉히고 어떻게 해야 하나 고민을 했다. 발레 선생님께 전화를 드려서 아이가 버스를 잘 탔는지 확인을 했다. 별일 없이 항상 타던 장소에서 탔다는 원장선생님의 이야기를 듣고 그제야 한숨을 돌렸다.

집에 오자마자 딸아이에게 물었다.

"정민아, 아까 낮에 엄마가 전화 못 받아서 미안해. 근데 왜 전화했었어?"

"가방이 너무 무거워서 놓고 가려고 집에 왔다가 엄마한테 이야기하려고 전화했어."

가슴이 찡하기도 하고 기특하기도 했다. 저 쪼그만 게 엄마 걱정할까 봐 전화도 하고 다 컸다는 생각이 나도 모르게 눈가에 눈물이 맺혔다.

아이에게 이 사건은 스스로 하는 것에 대한 자신감을 갖게 되는 계기가 되었다. '가방이 너무 무거우니 집에 가방을 놓고 가야겠다'라는 생각이 들었고, 실천을 해보니 본인 스스로가 대견했던 모양이다. 그때부터 아이는 나에게 의지하지 않고 자신의 일은 스스로 하려고 노력하기 시작했다.

학교를 마치고 시간이 남으면 친구들과 삼삼오오 모여 공원 놀이터에서 놀다 오기도 하고, 하루에 백 원씩 받는 용돈을 모아 친구들과 문구점을 가서 무언가를 사오기도 했다. 겨울방학을 앞두고 있는 지금 아이는 주관을 가지고 엄마의 논리에 맞설 만큼 성장하였다. 방학 계획표를 짜면서 학원 스케줄을 엄마와 협상을 할 정도가 되었으니 말이다. 그런 아이와 티격태격 의견 충돌이 생기면 화가 나기도 했지만 '이젠 엄마한테 맞설 만큼 컸구나!' 하는 생각은 '내가 과연 아이를 잘 키우고 있는 것인가?'에 대한 해답이 되어 주었다.

나는 아이들에게 스스로 하는 법을 많이 알려주려고 노력하는 편이다. 생각지도 않은 문제가 생겼을 때 엄마를 찾기보다는 '지금 어떻게 해야 하는 걸까?'를 항상 고민하도록 한다. 물론 엄마가 다 해주는 아이들보다 힘들 수도 있다. 하지만 살아보니 그게 엄마로서 아이를 위하는 길이 아님을 알게 되었다.

세상은 잠깐 눈을 감았다 떠보면 알아볼 수 없을 만큼 빨리 변한다. 이런 세상이 원하는 사람은 시키는 것을 하고, 주어진 일만 하는 사람이 아니다. 불편함을 찾아 개선하고 아이디어를 내고, 현상을 분석하고 문제를 해결하며, 여러 분야의 사람들과 소통할 줄 아는 사람을 원한다. 이런 인재는 자신의 할 일을 스스로 하면서 만들어진다.

아이들에게 스스로 문제 해결을 하도록 하는 것이 아이들을 힘들게 하는 걸까? 혹시 의심이 간다면 당장 아이에게 자율권을 주어줘 보길 바란다. 오히려 생각했던 것 이상으로 아이들은 잘해낼 것이다.

이지성 작가의 《당신의 아이는 원래 천재다》라는 책의 제목처럼 우리 아이들은 원래 스스로 잘해낼 수 있다. 하지만 부모들이 아이들이 스스로 할 수 있는 것을 '네가 어떻게 그것을 혼자 해?'라는 인식을 심어 줌으로써 자신은 스스로 못한다는 생각을 하도록 갖게 만든 것이다.

가끔 천 원짜리 한 장을 주고 동생과 함께 슈퍼에서 사고 싶은 것을 사올 수 있는 '상'을 준다. 그럴 때면 항상 티격태격하며 싸우던 남매도 손을 꼭 잡고, 싱글벙글 신나게 집을 나선다. 엄마가 없을 때는 동생의 보호자라는 책임감을 갖게 되고, 동생이 사고 싶은 것과 자신이 사고 싶은 것을 천 원으로 해결해야 하는 상황 속에서 고민을 한다. 동생을 설득하기도 하고 양보하기도 하면서 아이는 조금씩 자란다. 물론 손에 들고 온 것이 불량식품이라 나와 함께 갔더라면 절대 사주지 않았을 것들을 골라 오지만 그럴 때만은 예외로 해준다. 불량식품이 몸에 나쁜 건 당연하지만 그보다 더 좋은 것을 배워오니 말이다.

운동을 하는 과정은 항상 인내와 고통이 따른다. 처음에는 다섯 번도 힘든 윗몸 일으키기를 매일 반복하다 보면 한 번에 할 수 있는 횟수도 늘어나고 자연스럽게 고통도 줄어든다. 오랜만에 운동을 시작한 다음날은 온몸이 쑤시고 계단을 내려가는 것조차 힘들다. 이처럼 근육이 단련되어 가는 과정에는 반드시 근육이 파열되는 고통이 동반된다. 운동을 좋아하는 사람들은 이 고통을 즐긴다. 이 고통이 있어야 근육이 만들어진다는 것을 경험으로 알기 때문이다.

시련은 훈련된다. 시련 없는 삶을 원하는 것은 바이러스가 무서워 병균 없는 무균실에서 살기 바라는 것과 같다. 흰 벽으로 둘러싸인 무균실에서 살 것인지, 몸의 면역력을 키워 원하는 곳은 어디나 갈 수 있는 삶을 살 것인지는 본인의 선택이다.

1970년대 롱아일랜드의 임상 심리학자인 아이젠스타트는 백과사전에 등재된 유명인들의 부모 생존 여부를 조사하였다. 조사 결과는 놀라웠다. 수많은 성공자들이 어린 시절 부모를 잃거나 부모로부터 버림을 받고 학대당했던 것이다. 프랑스의 한 연구자는 '고아들이 세계를 지배하는가?'라는 문제를 제기했을 정도로 많은 성공자들이 어렸을 때 극복하기 쉽지 않은 시련을 겪었다. 어린 시절의 고난이 그들을 성공으로 만든 것이었다.

시련 없는 삶이 과연 행복할까? 이 시대 많은 사람들이 우울증이나 무기력에 빠져 있는 것은 시련 없는 삶을 살기 때문이다. 작은 시련에도 부모의 등 뒤로, 신랑의 등 뒤로, 인터넷 속으로 휴대폰 속으로 숨으려고 한다. 시련이 왔을 때 피하지 말고 한번 부딪혀보자. 나 스스로 시련을 넘어섰다는 자신감에 평상시 쓰지 않던 심장이 두근거린다. 이 심장의 두근거림이 삶의 에너지를 만들어낸다. 이 에너지로 또 다른 시련을 이겨낼 힘이 생기는 것이다.

작더라도 스스로 무언가를 해냈다는 자신감으로 앞으로 다가오는 미래에 대한 희망을 가져보자. 시련에 저항하는 근육을 키우면 큰 시련이 다가오는 것이 두렵지 않다. 오히려 무력한 하루하루가 지루하게 느껴진다. 시련을 넘어서는 사람들은 시련이 주는 가슴 시림과 외로움, 어깨를 짓누르는 스트레스를 즐긴다. 난 이 과정을 넘어설 것이고 이것을 넘어서면 더 나은 내가 되어 있다는 것을 경험으로 알기 때문이다.

06

먼 미래부터 그리고 가까운 미래를 그린다

"난 나중에 일찍 결혼할 거야, 그리고 꼭 키가 큰 사람이랑 할 거야."

내 친구는 학창 시절에 이 말을 입에 달고 다녔다. 그랬더니 딱 그런 사람과 결혼했다.

"돈도 많은 사람하고 결혼한다고 말했어야 했는데, 그걸 빼먹었네."

지금은 웃으며 농담 삼아 이렇게 이야기하곤 한다. 여자들이라면 한 번쯤은 '난 이런 사람하고 결혼할 거야'라며 말한 적이 있을 것이다. 딱 맞아떨어지는 사람과 결혼하지 않았는가? 그럴 줄 알았으면 조금 더 구체적으로 생각을 했었어야 했는데 말이다.

나 역시도 항상 이렇게 말했다.

"난 장남하고 결혼 안 할 거야. 장남만 아니면 돼."

그저 농담 삼아 한 이야기가 정말로 맞아 떨어지는 그런 사람과 결혼했다. 문제는 남편이 둘째지만, 남편 위의 형님이 결혼을 아직 안 하셨다는 것이지만 말이다.

사람은 자신이 말하는 대로 살아간다. 생각하는 대로 말하기 때문이다. '생각대로 살지 않으면 사는 대로 생각하게 된다'는 말이 있다. 내가 어떤 삶을 원하는지 구체적으로 생각을 하고 살라는 말이다.

내가 지금 살아가고 있는 현재는 과거에 내가 생각했던 결과다. 이런 상황을 원하지 않았다고 반박할지도 모르겠다. 하지만 지금 어떤 모습을 하고 있을 것이라고 생각한 적도 없지 않는가? 잘 가꾸어진 정원을 망치는 길은 그냥 내버려 두는 것이다. 물도 주지 않고 잡초도 뽑지 않고 그냥 방치해 놓으면 정원은 점점 망가진다.

우리의 미래도 그렇다. 내가 계획도 없이 시간 흘러가는 대로 살아간다면 나의 인생은 망가지고 만다. 냉철하게 자기 자신을 되돌아보자. 과연 5년 전, 5년 후가 어떤 모습일지 생각을 하고 살았는지 말이다.

꿈을 갖고 있지 않은 사람이 10년 후 자신의 모습을 상상하는 것이 쉽지는 않을 것이다. 그렇다면 꿈을 가지고 있는 사람에게 물어보아라.

"당신의 10년 후는 어떨까요?"

그들은 3초의 망설임도 없이 이야기할 것이다. 그것도 이미 이루어진 것처럼 상상하듯이 생생하고 자세하고 구체적으로 말이다. 그리고 그것을 이야기할 때의 표정은 행복으로 가득 차고 자신감이 넘칠 것이다. 그 이야기를 듣고 있는 당신의 반응은 크게 2가지일 것이다.

"그래, 너라면 할 수 있겠다. 부럽다."

"완전히 미쳤구나? 그게 가능해? 괜히 허파에 헛바람 넣지 말고 정신 차려."

전자든 후자든, 꿈을 가지고 미래를 구체적으로 그릴 수 있는 그 사람이 당신은 부럽지 않은가? 꿈을 품고 살아가는 사람은 에너지가 넘친다. 주변 사람들도 덩달아 기분 좋게 만들어 주는 사람들은 함께 이야기하는 것만으로도 주변을 환하게 만든다.

당신도 그렇게 주변에 빛을 발하는 사람이 되고 싶지 않은지 생각해보자. 불가능할 것 같아 생각도 하지 않았다면 이제부터라도 꿈을 갖는 연습을 해보자. 당신도 가능하다. 상상력이 부족해서, 능력이 부족해서, 성격이 내성적이어서 그렇게 구체적인 미래를 상상하지 못하는 것이 아니다. 다만 습관이 되지 않았기 때문이다.

10년 후 나의 모습을 노트에 적어 놓고, 구체적으로 상상하는 습관이 오늘의 나를 이끈다. 예를 들어 아이의 장래희망이 우리나라를 외국에 알리고 세계와 교류하고 싶은 외교관이 되는 것이라면 그 목표를 이룰 수 있는 구체적인 방법을 찾아보아야 한다. 외교관이 되기 위해서는 현재 외무고시가 아닌 국립 외교원에 입학해야 한다. 그곳에서 외교관 후보자 선발 시험을 통과해야 외교관의 업무를 시작할 수 있다.

목표를 아이의 책상 앞에 붙여 놓고, 동기부여시켜 줄 수 있는 사진을 곳곳에 붙여놓아도 좋다. 세계 각국의 대사관 사진을 붙일 수도 있다. 다른 학생들은 관심을 갖지 않는 제2외국어를 미리 준비해서 배울 수도 있다. 방학에는 서울의 미국 대사관이나, 중국 대사관, 혹은 외교부에서 주최하는 프로그램에 참여해서 꿈을 생생하게 그릴 수 있다.

그리고 롤모델을 갖는 것도 미래를 그릴 수 있는 좋은 방법 중의 하나이다. 그 길을 간 대표적인 사례는 아마도 반기문 UN 사무총장일 것이다. 반기문 총장의 책을 읽기도 하고, 그의 신문기사를 스크랩해서 읽을 수도 있다.

뉴스에서 다루는 국제적 이슈를 아이와 함께 보면서 그 상황을 외교관이나 대사관 등에서 어떻게 해결해가는지 설명해 준다면 아이는 자신의 꿈을 구체적으로 그릴 수 있다. 그렇게 꿈을 가슴속에 품은 아이는 단순히 목표가 '서울대'인 아이보다 능동적인 학습을 하고 주도적인 생활습관을 가질 수 있다.

먼 미래를 그리고 오늘을 미래를 만드는데 써보자. 미래의 모습을 구체적으로 그려 놓으면 오늘 하루를 헛되이 보낼 수 없다. 내가 만들어 놓은 미래의 모습에 한 걸음 다가가는 오늘을 살았다면 매시간이 행복할 것이다. 헛되이 보내지 않은 것이 뿌듯해 잠자리에 들 때 행복할 것이고, 매일 아침 잠을 이겨내는 것이 전혀 힘들지 않을 것이다.

당신의 노후를 상상해보자. 현재 내 모습의 연장선에서 미래를 그릴 필요는 없다. 우선 내가 원하는 모습을 그려보자. 난 70세가 되어서도 현역으로 살기를 바란다. 나의 일이 있고, 매일 아침 일어날 때마다 스케줄부터 확인하는 모습을 그린다.

75세가 되면 은퇴를 하고 유럽 여행을 갈 것이다. 프랑스의 분위기 좋은 카페에서 책을 읽고 노트북을 꺼내서 글을 쓴다. 휩쓸리듯 순식간에 보고 지나가는 유럽 여행이 아니라 한 도시에서 일주일씩 보내는 여행을 꿈꾼다. 그 모습을 상상하며 잠자리에서 깬 나는 늦잠의 유혹을 쉽게 뿌리칠 수 있다.

포털사이트에서 인물 검색을 하면 영화배우 '김지미'보다 작가 '김지미'가 더 상위에 올라온다. 지금은 영화배우 김지미가 모든 페이지를 가득 채우고 있지만 10년 후에는 나의 기사로 가득 찬 화면을 상상한다. 20권 이상의 책을 내고, 열정적으로 자기계발 분야의 전문 강사가 된 나의 모습을 상상하는 것만으로도 기분이 좋아진다.

매일 아침 5시에 일어나 어둠이 채 가시지 않은 한강을 내려다보며 오늘 할 일을 점검한다. 향긋한 커피를 마시며 신문을 본 뒤, 컴퓨터를 켜서 글을 쓴다. 방송이나 강연이 있을 때는 단골 샵에 가서 메이크업을 하고 헤어를 손질받는다. 오전 스케줄이 없는 날은 개인 트레이너가 집으로 와서 PT를 받으며 체력 관리를 한다. 이 상상을 하는 동안 나도 모르게 입가에 웃음이 지어진다. 생각만으로도 이렇게 행복한데 그 꿈을 이루기 위해 노력하는 오늘이 어찌 행복하지 않을 수가 있을까?

10년 후를 생생히 그려보자. 피식 웃음이 나와도 상상만으로 몸속의 에너지가 솟아오를 것이다. 오늘 나는 어떤 모습으로 살아야 할까? TV가 나를 유혹하고, 사람들과의 모임이 나를 유혹해도 10년 후를 상상하면서 나와의 약속을 지키는 하루를 보내자.

물론 결심이 오늘 하루를 넘어가지 못할 수도 있다. 그럴 때마다 동기부여를 시켜주는 책을 다시 집어 들고 가슴속 열정의 발전소를 돌리자. 가야 할 방향을 잃어 미래가 보이지 않는다면 다시 한 번 상상하자. 매일 상상하고 실천하고 나와 같은 길을 간 사람들과 꿈을 나누는 하루를 보내자. 10년 후를 위한 책을 읽고, 상상하고, 꿈꾸는 사람을 만나고 그들과 소통하는 것만으로도 나의 하루는 어제와 달라질 것이다.

07

하루 30분

최근 들어 거실을 서재로 만들려고 하는 사람들이 많아졌다. 우리 집도 아이들이 태어나면서부터 TV는 부엌 쪽 작은 방에 자리 잡고 있다. 꼭 봐야 할 것만 보려고 하다 보니 불필요하게 TV 앞에 멍하니 앉아 있는 시간이 줄었다. TV를 없애는 대신 거실의 한쪽 벽에 큰 책장을 설치하고 책을 꽂아 놓으니 자연스레 책에 손이 많이 가게 되었다.

학창 시절에 시험과 관련되지 않은 책을 읽는 것은 시간 낭비라고 여겼다. 시험 기간에 책을 읽는 학생들에게 선생님은 당장 점수를 올릴 수 있는 공부를 하라고 강요하셨다. 독서는 재미라기보다는 문제를 풀기 위한 참고서일 뿐이었다. 그래서인지 책은 읽고 싶은 것이 아니라, 읽어야 하는 것이었다. 그런 내가 지금은 드라마보다 책 읽는 것을 더 좋아하고 책을 쓰고 있다니 참 아이러니하다.

아이를 키우는 집에 가보면 아이들 책은 가득하지만 부모들이 읽는 책은 그다지 많지 않다. 아이들에게는 잠자기 전에 몇 권씩 책을 읽어 주지만 정작 부모들은 자신을 위한 책을 꺼내 들지는 않는다. 거실을 서재로 바꾼 것도 아이들을 위한 경우가 대부분이고 부모들은 거실 한쪽에서 인터넷을 하곤 한다. 아이들이 연령별로 읽어야 하는 책 분야에는 빠삭하지만 신문을 보는 것도 힘든 엄마들은 인터넷 뉴스 기사로만 세상의 정보를 접하는 데 그치고 만다.

부모 스스로 책 읽는 재미를 알고 책을 항상 가까이 하면 아이들은 읽어주지 않아도 책을 자연스럽게 접하게 된다. 엄마가 책 읽는 모습을 보여주면 아이들도 함께 책을 읽게 되는 간단한 원리를 무시한 채, 하루에 읽어야 하는 책을 정해 놓고 의무적으로 읽어 주는 현실이 안타깝기만 하다.

KBS 공채 아나운서 이정숙 씨의 아들이자 《그물망 공부법》으로 유명한 조승연 씨는 '공부는 단순한 출세의 도구가 아니다. 공부는 인생의 긴 여정을 멋과 행복으로 채워주는 동반자다'라고 말한다.

학창 시절 그는 왕따였다. 그는 열네 살에 어머니와 미국으로 건너가게 되었고, 그곳에서 본 〈007시리즈〉가 그의 인생을 완전히 바꾸어 놓았다. 세상의 지식에 통달한 멋진 영국 신사 '제임스 본드'의 모습에 반했다. 그는 '제임스 본드'가 되고 싶었다. 그때부터 도서관에 처박혀 셰익스피어의 시와 희곡을 모조리 읽고 외우기 시작했다. 처음에는 한 줄을 이해하는 데 한참이 걸렸지만, 4년이 지난 후에는 영국의 고서를 술술 읽을 수 있는 수준이 되었다.

물리학과 생물학에도 흥미를 갖기 시작하면서 공부에 대한 관심은 전 분야로 퍼졌다. 뉴욕에서 비즈니스와 미술사를 전공하고, 피아노에 빠져 줄리아드 음대 야간과정에서 음악 공부를 했다. 여러 국적의 여자 친구를 만나면서 7개 국어를 마스터할 수 있었던 그에게 공부는 아름다움과 가슴 뛰는 황홀감을 안겨주는 것이었다.

공부의 목적이 '대학 입학이나 취업에 있어서는 즐거움이 느껴지지 않는다'는 그의 말처럼, 독서의 목적이 시험과 성적을 위한 것이라면 의무감만 느껴질 뿐 독서가 주는 진정한 재미를 알 수 없다. 대한민국 국민이라면 모두 치르는 입시 경쟁은 책만 보면 잠이 오는 '독서 부작용'을 만들어냈다.

제대로 된 독서는 명품 인생을 만들어 준다. 요리사를 만나면 요리 이야기를 하고, 디자이너를 만나면 패션에 대해서 이야기할 수 있다. 영화를 만드는 사람과도, 회사를 경영하는 사람과도 유쾌한 대화를 나눌 수 있고 세계를 여행 다니지 않았어도 여행을 다녀온 사람과 생생하게 대화를 할 수 있다. 그래서 주변에는 항상 대화를 나누고 싶어 하는 사람들로 넘쳐난다.

명품을 몸에 휘감고 있어야 명품 인생이 되는 것은 아니다. 세상에 소수만 존재하는 것, 희소성의 가치를 가지고 있는 것이 명품이다. 내가 명품 인생의 주인공이 되고 싶다면 누구도 나를 대신할 수 없는 가치 있는 사람이 되면 된다. 만나면 이야기하는 것이 즐겁고, 그 속에서 배울 것이 많은 사람은 누구나 함께하길 바란다. 이렇게 주변 사람들이 가치를 인정하고 공유하고 싶어 하는 사람은 진정한 명품 인생을 살고 있는 것이다.

명품 인생을 살고 싶다면 하루 30분 독서 시간을 가져보자. 책의 가장 좋은 점은 다른 사람의 인생을 살아 볼 수 있다는 것이다. 사람은 누구나 주어진 시간을 살고 있다. 그래서 직접적으로 경험할 수 있는 것은 시간적, 공간적으로 한계가 있다. 책을 통하여 다른 사람의 경험을 익힘으로써 시간을 벌 수 있다.

천호식품의 김영식 사장이 쓴《10미터만 더 뛰어봐》를 읽어 보면 그가 사업을 굴곡 속에서 어떻게 그 상황을 극복했는지 알 수 있다. 지하철에서 전단지를 돌리고, 직접 발로 뛰어가면서 바닥까지 떨어진 사업을 어떻게 다시 일으켰는지 알 수 있다. 만약 지금 내가 하는 사업이 잘 안 되서 힘들다면 나와 같은 상황에서 다시 일어난 사람의 책 속에서 용기를 얻을 수 있다.

꿈을 만들고 이루어가는 방법이 막연하다면 김수영 씨의《멈추지 마, 다시 꿈부터 써봐》를 읽어 보면 도움을 받을 수 있다. '이런 것도 꿈이 될 수 있구나', '이렇게 꿈을 키워가는구나', '이런 꿈은 나도 갖고 싶었는데, 나도 해보고 싶다'는 생각이 들면서 행동하게 만든다.

또한 하버드대 종신교수로 유명한 석지영 교수의《내가 보고 싶었던 세계》를 읽어 본다면 학창 시절에 공부를 잘하지 못했더라도 하버드 교수가 될 수 있음을 알게 된다. 실제로 나는 이 책을 읽은 후로 아이에게 공부를 강요하지 않게 되었다.

지금 육아와 일하는 것이 힘들어 모든 것을 내려놓고 싶다면 신의진 씨나 이정숙 씨가 쓴 육아서를 읽어보길 바란다. 내 아이를 어떻게 키워야 하는지 알 수 없을 때는 오은영 씨나 박정숙 씨, 그리고 가수 이적 씨의 엄마로 유명한 박혜란 씨의 육아서를 읽어 보면 힘이 될 것이다. 책이 나에게 직접적인 도움은 줄 수 없어도 수많은 정보에 흔들리는 나를 지탱해줄 정신적 지주 역할을 해줄 것이다.

독서 습관은 시간 나면 하겠다는 생각으로는 만들어지지 않는다. 책을 읽는 습관을 갖고 싶다면 하루 중에 독서를 위한 시간을 만들어야 한다. 매일 30분 독서를 하지 않으면 잠들지 않겠다는 작은 목표를 세우고 지켜보길 바란다.

독서에 익숙하지 않는 사람들은 책을 집어 들고 읽기 시작하면 심각한 독서 부작용을 겪는다. 처음에는 책의 저자들이 잘난 척하는 것 같아 기분이 나쁘기도 하고, 나도 이런 상황이었으면 할 수 있다며 괜한 질투를 하기도 한다. 커리어 우먼으로 사는 멋진 작가들에 비해 내 모습이 초라해 보인다. 책 속의 지혜들은 내가 따라 하기에는 현실성 없어 보이기도 한다.

20대 시절 재테크에 관심이 있었던 나는 주식투자나 경매에 관심이 많았다. 관련된 책을 읽을 때마다 드는 생각은 '그러니까, 난 그 종잣돈이 없다고'라는 비판이었다. 책은 이론, 내가 살아가는 것은 현실이라며 책으로 얻는 지식을 부정했었다.

이런 독서에 대한 부정적 습관을 버리는 방법은 하나뿐이다. 무조건 매일 읽는 것이다. 책에 흥미를 느끼지 못하면 매일 읽는 것이 쉽지 않다. 하지만 숙제하듯이 억지로라도 매일 읽는 시도를 하다 보면 어느 순간 책이 주는 재미에 빠진다.

처음에는 내가 어떤 책을 재미있어 하는지도 모른다. 매일 30분은 꼭 책을 읽겠다고 결심을 하고, 어제 읽었던 책이 지루해서 재미가 없었다면 다른 책을 찾아서 읽어보자. 끝까지 다 읽지 않아도 좋다. 무조건 매일 30분은 투자하겠다는 생각으로 꾸준히 독서 습관을 들이는 것이 좋다.

그렇게 습관을 들이면 내가 좋아하는 분야가 생기고, 책 속에서 다음에 읽을 책을 고르기도 한다. 좋아하는 작가의 책을 줄줄이 읽어 볼 수도 있고, 작가가 책에서 권하는 다른 책을 읽을 수도 있다. 아는 만큼 보이듯이 읽으면 읽을수록 읽고 싶어지는 책이 많아진다. 책을 읽으면서 다음에 읽을 책을 마음속으로 점찍어 두고 빨리 읽고 싶어서 안달이 난다. 새벽에 잠이 들면서도 빨리 아침이 되었으면 좋겠다는 생각이 들 정도로 책과 사랑에 빠질 것이다.

자신의 목표나 꿈이 명확한 사람들의 공통점이 있다. 그들은 책을 가까이 한다는 것이다. 미국 최초의 흑인 대통령인 버락 오바마를 탄생시킨 것도 책이다. 뉴욕의 컬럼비아 대학 시절, 더 나은 미래를 위해 읽은 책들이 독일 철학자 니체와 평화주의자 간디, 그리고 자기 분야에서 성공한 사람들이 쓴 책이었다. 그 책들을 읽고 그는 가난하고 소외된 사람을 위해 살겠다고 결심했다. 그 결심을 지키기 위해 미국의 최초 흑인 대통령의 자리에까지 오르게 된 것이다.

반기문 UN 사무총장을 만든 것도 책이었고, 소프트 뱅크의 손정의 회장을 만든 것도 책이었다. 배낭 하나 메고 지구를 세 바퀴 반을 돌고, 바람의 딸로 불리는 한비야 씨의 배낭에 항상 빠지지 않고 있는 것이 책이다.

성공하고 꿈을 이룬 사람들은 원래 그렇게 태어나서 그런 것이 아니다. 어렸을 때부터 책만 읽던 책벌레들도 아니었다. 성장하는 과정에서 부모님이나 선생님, 도서관 등과 우연한 기회로 책을 좋아하게 되었고, 책이 알려주는 방향으로 꾸준히 걸어갔을 뿐이다. 책 속에는 나의 미래를 알려주는 내비게이션이 있다. 책은 사람마다 그에게 맞는 길을 제시해 준다. 매일 30분 독서 습관으로 책 속에서 나의 길을 찾아보자. 한비야 씨가 오지 여행을 떠난 것도 30대였다. 당신도 지금 책 속에서 나만의 길을 찾기에 절대 늦은 시간이 아니다.

세계적인 부호 빌 게이츠는 이렇게 말했다.

"지금의 나를 만든 것은 동네의 공립도서관이었다."

부모님이 나를 낳아주셨다면 나의 꿈을 키운 것은 책이다. 독서는 나를 행동하게 하고, 포기하지 않는 열정과 에너지를 계속해서 창조해준다. 나의 환경과 상황을 탓하지 말고 그것을 딛고 일어서보자. 나를 지지해줄 지원자는 책 속에 가득하다. 나를 이끌어줄 멘토들이 가득한 책과 사랑에 빠져라. 하루 30분씩!

08

내 편이 아니어도 적을 만들지 마라

나는 참 까칠한 편이었다. 손해 보는 것을 참지 못했고, 누군가 날 기분 나쁘게 하면 그걸 표현하고 해소해야만 했었다. 마트에서 계산을 하려고 기다리는 중에 앞에 있는 사람이 시간을 끌면 짜증 내기도 하고, 전화 상담원이 내가 원하는 답변을 주지 못했을 때는 기분 나쁘게 말을 하고 끊어버리곤 했었다.

결혼 전 회사를 다닐 때 한 선배가 나에게 이런 말을 했다.

"지미야, 너무 까칠하게 그러지 마. 웬만하면 주변에 적을 만들지 않는 것이 좋아."

그 말이 당시에는 이해가 가지 않았다. 할 말은 하고 살아야지 왜 참고 살아야 하는지 알 수 없었다. 이런 까칠한 성격이 적을 만들 수도 있다는 생각도 하지 못했다. 또 적을 만든다고 해서 아쉬울 것도 없다고 여겼다.

하지만 그 말의 의미를 이해할 수 있었던 것은 아이들을 낳고 키우면서부터였다. 아이들이 나의 행동을 보고 배울까 두려워졌기 때문이다. 그리고 내가 누군가에게 나쁜 행동을 하면 왠지 그 결과들이 나의 아이들에게 돌아올 수도 있다는 생각이 들었다. 혼자일 때는 적이 생기든 말든 나의 기분이 더 중요했다. 하지만 아이들을 키우다 보니 아이들에게 해가 될 수 있는 것은 사소한 것이라도 하고 싶지 않은 것이 엄마의 마음이다.

나는 사람의 얼굴을 잘 기억하지 못하는 편이다. 그래서 상대방이 먼저 아는 척을 하기 전에는 인사를 하지 않았었다. 하지만 아이들에게 인사 습관을 길러주기 위해서는 내가 먼저 변해야 했다. 잘 알지 못하는 동네 이웃들을 보면 먼저 인사를 했다. 내가 먼저 인사를 건네니 상대방도 웃으며 인사를 받아 주었다. 그렇게 웃으며 사람들을 대하다 보니 나도 기분이 좋아졌고 얼굴만 아는 사람이라도 길에서 마주치면 인사를 먼저 건네게 되었다.

아이들에게 모범이 되기 위해 나쁜 습관들을 의도적으로 바꾸려고 노력했다. 아이들로 인해 바뀐 나의 행동이 어찌 보면 이중적으로 보일 수도 있을 것이다. 하지만 억지로라도 좋은 습관이 몸에 배인다면 좋은 것이 아닐까?

얼마 전 집 앞 주유소에서 기름을 넣었다. 그곳에서 일하시는 분들은 대부분 퇴직을 한듯 한 나이의 어르신들이다. 그래서 행동도 조금 느리고, 깜박하는 경우도 많다. 하루는 주유 중에 결제를 하려고 카드를 들고 기다리고 있었다. 하지만 직원 분은 다른 일을 하시며 카드를 받아가지 않으셨다. 주유를 마치고 나서 결제하기를 기다리고 있는데 다른 직원 분이 "안녕히 가세요!"라며 인사를 하고 차를 보내는 것이었다. 순간적으로 '이게 어떻게 된 거지?' 하며 당황했다.

'그냥 갈까? 붙잡는 사람도 없는데, 그러면 몇 만 원 버는 거잖아.'

'아니야, 그래도 양심에 찔리는 행동은 하지 말자.'

몇 초 안 되는 사이에 잠시 나의 양심을 저울질했다.

'혹시 나의 아이가 아르바이트를 하다가 이런 실수를 저질렀다면 어땠을까?'

이런 생각이 들자 더 이상 고민이 되지 않았다. 작은 이익에 눈이 멀어 그냥 가버린다면 누군가에게 큰 상처가 될 것이다. 그분들의 월급에서 깎일 수도 있고, 일자리를 잃을 수도 있을 것이다. 내 것이 아닌 것에 욕심을 부리다 그분들에게 상처가 된다면 하지 말자는 생각이 들었다. 양심이 시키는 대로 행동하기로 했다. 그분들께 아직 결제 안 했다며 이야기했고, 그분들은 감사하다며 인사를 하고 카드를 받아 갔다. 양심이 시키는 대로 행동하고 나니 집으로 돌아오는 마음이 한결 가벼웠다.

눈앞의 작은 욕심 때문에 생각지 않게 주변의 사람을 적으로 만드는 경우가 많다. 나의 것이 아닌 것에는 욕심을 부리지 않는 것이 순리이다. 내가 노력해서 얻는 것만이 진정한 나의 것이라고 여기면 사소한 것으로 적을 만드는 것을 예방할 수 있다.

지금 나의 상황이 좋다고 해서 그것이 평생 지속될 것이라는 믿음은 버리는 것이 좋다. 지금은 아쉬울 것이 없어 내가 하고 싶은 대로 행동한다고 큰 피해는 없다. 하지만 세상은 쉴 새 없이 변하고 있고 내가 통제할 수 없는 변수도 점점 많아지고 있다. 지금은 6명만 거치면 전 세계인을 만날 수 있을 정도로 좁은 세상이다. 내 편이 아니어도 적을 만들지 않는 것은 공든 탑이 다른 사람에 의해 무너지지 않기 위한 최소한의 노력일 것이다.

존 윌리엄 매킨리 대통령이 의원이었을 때의 일이다. 어느 날 매킨리는 퇴근 시간에 전차를 타게 되었다. 그때 할머니 한 분이 무거운 보따리를 들고 전차에 올라탔다. 할머니는 보따리를 들고 두리번거렸지만 아무도 자리를 내주지 않았다. 하는 수 없이 할머니는 힘겹게 보따리를 들고서 제일 뒷자리에 서 있었다. 전차가 요동하는 바람에 할머니는 힘에 겨워 넘어지고 말았다.

하지만 사람들은 아무도 할머니에게 선뜻 자리를 내주지 않았다. 할머니가 서 있던 자리 앞에 한 사람이 앉아 있었다. 매킨리는 마음속으로 그가 양보하겠지, 하고 생각했다. 하지만 그의 예상은 빗나가고 말았다. 그는 할머니를 보고 일어나는 대신 읽고 있던 신문을 얼굴에 더 바짝 대고 못 본 척하는 것이었다. 참다못한 매킨리는 일어나서 그 할머니에게 자리를 양보했다.

훗날 매킨리는 대통령이 되었다. 그리고 어느 날 대사를 임명해야 하는 날이었다. 후보자들을 보는데 옛날 전차에서 신문으로 얼굴을 가린 채 할머니에게 자리를 양보하지 않은 사람이 있었다.

'어른을 공경하지 않는 사람이 어찌 한 나라의 대표로서 다른 나라에서 공정하게 일을 할 수 있을까?'

순간 매킨리는 그가 업무를 잘 처리할 수 있을지 의심되었다. 결국 그 대신 다른 사람을 대사로 임명했다. 그는 과거에 한 예의 없는 행동 때문에 일생일대의 기회를 놓치고 말았다. 그때 전차 안에서 매킨리가 자신의 무례함을 보고 있었다는 사실을 그는 알지 못했기 때문이다.

누군가를 의식해서 가식적으로 착한 사람이 되기는 힘들다. 하지만 의식적으로라도 예의 바르게 행동하고, 남이 보지 않을 때에도 올바른 행동을 하는 것을 습관화하면 어느새 몸에 배인다. 작은 실수가 미래에 올 나의 기회를 막을 수 있듯이 몸에 배인 좋은 습관이 미래에 기회를 불러들일 수 있음을 기억하고 주변에 적을 두지 않으려고 노력해보자.

적을 만들지 않는 행동은 당장은 손해 보는 것처럼 느껴진다. 사소한 일에 매달리다 보면 큰 것을 잃는 우를 범할 수 있다. 살아가면서 가장 큰 실수는 사소한 것으로 사람을 잃는 것이다. 댐이 작은 균열에 무너지듯이 미래의 성장을 방해하는 것은 사소한 습관들이다. 먼 미래를 보고 성장하는 사람들의 공통점은 작은 손해 때문에 큰 기회를 놓치지 않는다는 것이다.

작은 욕심을 채우기 위해 주변에 적을 만들지 않도록 노력하자.

chapter 3

여자이기에 더 빨리 준비해야 하는 인생 전략

01

누구도 나를 대신할 수 없다

10대 시절, 여자는 20대가 지나면 떨어지는 꽃처럼 시들어 버리는 것인 줄 알았다. 30대가 되면 남편을 내조하고 아이를 키우는 것이 그들의 삶이라 믿었다. 30대 이후 여자의 인생은 주목받지 못하는 시간일 것이라고 여겼다. 그래서 30대가 되는 것이 두려웠다. 하지만 이제는 알 것 같다. 20대에 화려함이 있다면 30대에는 원숙함이 있다는 것을. 그리고 40대에는 연륜이 있고 50대가 되면 경험이 축적이 되어 60대가 되면 모든 것을 다 아우를 수 있는 유연함이 생긴다는 것을 말이다.

20대에는 남자와 같아지려고 애썼다. 그들과 차별받기 싫어서 회식자리에 빠진 적이 없었고 술잔을 돌리면 받았다. 뒷날 머리가 아파 힘들 줄 알면서도 3차까지 따라갔다. 30대가 되어 결혼과 출산, 육아로 남자들의 세계에서 자연스럽게 멀어지면서 깨달았다. 그들과 같아지려 하지 말고, 나만의 장점을 돋보이게 해야 한다는 것을 말이다. 아이들을 보살피고, 살림에 치중하는 시간이 20대보다 많아지면서 여성으로서 느껴지는 행복을 깨닫게 되고, 그로 인해 여성만이 가질 수 있는 장점을 발견할 수 있었다.

초, 중, 고, 대학교 그리고 대학원, 직장에 이르기까지 남성의 비율이 월등히 높은 곳을 거쳤다. 남성 중심의 조직문화가 너무 싫었고, 머릿속은 그에 대한 불만으로 가득 찼다. 결혼 후 맞벌이를 하면서 집안 살림과 육아는 온통 내 차지였다. 주변에서는 그게 여자의 행복이라며 받아들이기를 암묵적으로 강요했다. 살림하는 시간이 낭비인 것만 같았고, 육아로 인해 사라져 버리는 경력들이 아까워 점점 예민해져 갔다.

남자들이 결혼과 출산에 상관없이 자신들의 일을 해나가는 모습에 분노가 느껴졌다. 그리고 묵묵히 슈퍼우먼처럼 모든 것을 인내하는 여성들이 못마땅했다. 하지만 내가 할 수 있는 가장 쉬운 방법은 어쩔 수 없다며 받아들이는 것이었다. 나 하나로 사회를 변화시킬 자신이 없었고 서서히 나도 모르게 쉬운 방법을 택하고 있었다. 굽히고 싶지 않은 '나'와 받아들여야 하는 '사회' 속에서 혼란스러웠다.

더 나아질 것 같지 않은 미래가 두려웠다. '이건 내가 원하던 삶이 아닌데' 하는 생각이 머릿속을 맴돌았다. 미래를 바꾸고 싶었다. 꿈을 다시 갖고 싶었다. 예전의 열정적이었던 나를 생각하니 눈물이 흘렀다. 그때로 다시 돌아갈 수는 없지만 그때처럼 열정적이고 행복해지고 싶었다. 화목한 가정과 사랑스런 아이들에게서 느끼는 행복과는 다른 나를 위한 행복이 가슴 저리게 그리웠다.

아이를 키우기 전에는 손해를 보면 참지 못했었다. 아쉬운 소리 하는 것도 싫었다. 일방적으로 당하는 것도 참지 못했다. 하지만 출산은 나의 많은 부분을 바꾸는 전환점이 되었다. 내가 아니면 아이들을 돌볼 사람이 없었다. 내가 하지 않으면 집안은 엉망이 되었다. 가끔은 모든 것을 내려놓고 싶어 울어버렸던 적도 많았다. 회사라면 사표라도 쓰고 뛰쳐나올 텐데, 내가 낳은 아이들을 돌보는 일은 잠시라도 쉴 수가 없었다.

출퇴근도 없는 육아와 살림은 아무도 알아주지 않는 결과 없는 노동이었다. 해도 해도 끝이 보이지 않는 집안일은 내가 그동안 보여준 그 어떤 것보다 큰 인내를 요구했다. 나도 인내와 오기라면 남들 못지않다고 여겼는데 도대체 다른 사람들은 어떻게 아이를 다 키워냈는지 존경스럽기만 했다.

끝이 없을 것만 같았던 긴 터널의 끝이 보이기 시작했다. 아이들이 어린이집에 다니고 스스로 할 수 있는 것이 많아지자 나만을 위한 시간이 조금씩 생겨났다.

가장 먼저 나를 돌아보는 시간을 가졌다. 책을 읽었고 나 스스로에게 질문을 했다.

'나는 어떤 미래를 원하고 있을까?'

'나는 앞으로 어떤 사람이 되기를 원하는가?'

'아이들과 함께한 시간이 나에게는 어떤 시간이었는가?'

그렇게 조금씩 나를 찾기 위한 걸음을 떼었다.

그러자 소중한 진실을 알게 되었다. 나를 위한 것은 전혀 없을 것만 같았던 육아의 시간 속에서 가장 큰 성장을 한 사람은 바로 '나'였다는 것을 말이다. 웬만한 사람과는 처음부터 친구가 될 수 있는 오지랖이 생겼다. 모르는 것이 있으면 창피함을 무릅쓰고 당당하게 물어볼 수 있는 배짱도 생겼다. 억울하고 눈물 나게 서러워도 참아내는 강인함을 가지게 되었고, 속에서는 열불이 나지만 겉으로는 웃으면서 참을 수 있는 인내를 갖게 되었다. 어떤 상황에서도 아이들을 지켜내고자 했던 책임감은 '나'를 진정한 어른으로 성장시켜 주었다.

아이를 키우고 가정을 책임지는 여성들이라면 경험해 보았을 것이다. 경제권을 가지고 있는 남편의 일방적인 권력의 휘둘림으로 자존감은 사라져간다. 아이를 위해 나의 모든 것을 다 포기했지만 '엄마는 그런 것도 몰라?'라는 아이의 말에 지난 세월이 후회스럽기도 하다. 서러움에 눈물로 밤을 지새우고, 더럽고 치사해서 때려치우고 싶은 마음도 수십 번씩 먹어보았다. 하지만 나를 향해 웃는 아이들을 보면서 눈물을 삼키며 오늘도 웃어야 했을지 모른다.

이 시간들 속에서 가장 많은 성장을 하는 것은 '나'라는 것을 명심하자. 지금 당신이 보내는 이 시간은 30년간 학교도, 부모님도 알려주지 않은 큰 배움이다. 30대 여성으로서 겪게 되는 경험들을 스스로 대단하게 여겨보자.

남들도 다 하는 것이라며 겸손해하지 말고 '난 정말 대단해', '나도 참 많이 성장했구나', '참아내느라 애썼어'라며 스스로를 칭찬해주고 존중해주자.

하나님이 남자를 만든 후에 이렇게 말씀하셨다.

"이것보다 더 잘 만들 수 있는데……."

그런 후 여자를 만든 것이다. 나의 경험에 의하면 여성이 남성보다 더 완벽한 존재임을 깨닫는 순간은 30대가 지나서다. 20대까지 여성의 가치는 학력, 부모의 경제력, 외모로 판단이 된다. 하지만 30대부터는 가치를 스스로 만들 수 있는 '자력'으로 미래를 창조해 나가야 한다.

'자력'이라고 하는 것은 육아가 힘들었을수록, 결혼생활이 순탄치 않을수록, 일과 육아를 함께 해나가는 것이 눈물 쏙 빠질 만큼 힘들었을수록 강해진다. 주변의 도움으로 안락한 생활을 하고, 직장생활과 육아에 도움을 주는 사람이 많은 것을 부러워할 필요가 없다. 강도가 센 것을 해낼수록 자력은 커지고, 자력으로 창조된 미래는 빛나기 때문이다.

둘째를 낳았을 당시 육아에 도움 받을 수 있는 곳은 없었다. 남편은 회사에서 맡은 프로젝트 때문에 평일은 새벽 2시가 되어야 퇴근을 했고, 주말에도 출근하는 생활을 했다. 23개월 터울의 두 아이를 오로지 혼자서 키워야 했다.

명절이 되면 혼자 두 아이를 차에 태우고 시댁에 가서 명절 준비를 했다. 두 아이들 데리고 마트에서 장을 보다 잠시 한눈판 사이 둘째 아이가 사라져 미아방송으로 찾기도 했다. 설거지를 하다 보면 둘째는 울다 지쳐 주방 바닥에서 내 바지를 붙잡고 잠들기도 했다. 고무장갑을 낄 시간이 없어 맨손으로 일을 하다 보니 손은 거칠고 갈라졌다.

그렇게 오로지 혼자서 두 아이를 키운 지 5년째. 그렇게 스스로 집안의 대소사와 육아, 살림을 해내 보니 이젠 아이 네 명은 혼자서도 거뜬하게 볼 수 있다. 이제는 어떤 상황이 닥쳐도 '안 될 것 같은데?' 하는 생각보다는 '한번 해보지 뭐' 하는 마음부터 생긴다.

'처음부터 불가능한 것은 없고 포기해서 안 되는 것일 뿐이다.'

책에 나오는 인생의 진리를 육아의 과정 속에서 스스로 깨우쳤기 때문이다. 기댈 언덕이 있으면 기대고 싶은 것이 사람의 심리다. 그동안 내게 기댈 언덕이 없다고 불평만 하고 살지는 않았는지 생각해보자. 없는 언덕을 탓하며 불평할 것이 아니라 기댈 언덕을 스스로 만들어 보는 것은 어떨까? 스스로 기대고 쉴 수 있는 언덕을 만들 수 있다면 쉬고 싶을 때 어디서나 언덕을 만들고 쉴 수 있다.

누군가의 도움 없이 스스로 해내는 방법을 깨우치는 순간, 당신의 자력은 커진다. 수동적인 삶에서 능동적인 삶으로 전환하여 주도권을 가질 수 있다. 기억하자. 아이를 키울 때 도움 받을 곳이 없어 눈물로 지샌 밤이 많으면 많을수록 당신의 능력은 커진다는 것을.

아이들을 키우는 5년 동안 3번의 이사를 했다. 두 번 아파트 매매를 했고, 두 번 전세계약을 했었다. 집을 살 것인지, 전세로 살 것인지 결정해야 하는 과정은 쉽지 않았다. 우리 집의 전 재산이 걸린 일이라 다른 사람들의 말만 믿고 결정할 수 없었다. 부동산에 관한 정보를 찾아보게 되었고, 법률적인 것에 대하여 많은 것을 알게 되는 계기가 되었다.

당시에는 혼자서 결정해야 하는 것이 큰 부담이었다. 하지만 스스로 알아보고 결정을 하게 되자 다른 사람들의 말에 쉽게 휩쓸리지 않을 수 있었다. 사람들과 의견을 조율하는 과정에서 부드럽게 상대방을 설득하는 요령도 알게 되었다. 부동산, 이삿짐 업체, 법무사, 관공서, 인테리어 업체 등을 직접 찾아다니면서 사람들을 만나는 요령도 알게 되었다. 그 과정 속에서 나는 조금씩 성장하였다.

성장은 중요한 결정의 순간에 다른 사람들을 의지하지 않고 나 스스로를 믿을 수 있는 밑거름이 되었다. 나 역시 '주어진 최악의 상황을 극복하고 이겨내면 오히려 남들보다 단단한 자력을 키울 수 있다'는 깨달음을 힘든 시기가 지나고 난 후에 알 수 있었다.

인생에서 그저 그런 톱니바퀴가 되려고 하지 말자. 없으면 안 되는 중요 부품이 되겠다고 마음을 먹어보자. 그러기 위해서는 마주치는 모든 상황에서 스스로 선택하는 습관을 가져야 한다. 힘들다고 누군가에게 기대어버리면 당장은 편할 수 있지만 성장은 없을 것이다.

내 앞에 주어진 문제를 스스로 해결한다면 평범하던 일상이 나만의 스토리로 채워진다. 다른 사람과 차별화되는 나만의 스토리는 나를 중요 부품 같은 사람으로 만들어 줄 것이다. 나를 누구도 대신할 수 없는 사람이라고 여기고 삶의 주인공이 되자.

02

배움을 돈으로 바꾸는 시스템을 만들어라

살림살이를 비즈니스와 예술로 승화시킨 마샤 스튜어트, 살림이나 인테리어에 관심이 있는 여성이라면 한 번쯤은 그녀의 이름을 들어보았을 것이다. TV에 나와서 말 한마디만 해도 전 세계 주부들을 움직일 수 있는 그녀는 〈포춘〉지에 '가장 유력한 여성 50인'에 두 번이나 선정되었고, 〈타임〉지에서도 '미국에서 가장 영향력 있는 25인'으로 선정할 만큼 엄청난 영향력을 지니고 있다.

그녀는 어린 시절부터 요리와 정원 가꾸기를 좋아했었다. 결혼 후 농가를 개조하여 지하실을 부엌으로 꾸며 자신이 가장 잘할 수 있다고 생각한 요리를 시작했다. 그녀의 환상적인 요리 솜씨와 테이블 세팅은 사람들의 이

목을 끌기 시작했고, 그녀만의 독창적인 라이프 스타일을 유행시키며 잡지 출간, TV 출연 등으로 사업의 영역을 확장시켰다.

그녀는 젊은 시절 모델, 증권 중개인, 전업주부, 캐더링 사업자, 잡지 발행인을 거치며 여러 가지 재능을 다방면으로 펼쳤다. 책을 집필하는 동안은 요리, 인테리어, 꽃꽂이, 식사 매너 등 여러 분야를 아우르면서 단순한 캐더링 사업자에서 파티 전문가로서 퍼스널 브랜딩에 성공했다.

그녀는 다양한 분야의 일을 해보고 직업을 가져 보아야 자신의 가치를 높이고, 열정을 찾을 수 있다고 이야기한다. 현재 70세가 넘은 나이임에도 불구하고 자신이 좋아하는 분야인 리빙디자인 산업에서 활발한 활동을 하고 있다. 자신의 재능을 발견하고 일상적인 살림을 리빙 사업으로 발전시킨 그녀는 살림을 사업화시켜 모든 주부들의 롤모델이 되었다.

결혼을 하고 살림과 육아에 매달리다 보면 내가 하고 싶은 일은 잊고, 평범한 주부로 살아가는 것이 일반적인 여성들의 현실이다. 하지만 그녀는 사업으로 연결시켰고 세계 수많은 여성들로 하여금 살림도 사업이 될 수 있다는 희망을 심어주었다.

천성적으로 머리가 좋은 사람과 그냥 평범한 사람이 차이를 만드는 것은 입시까지다. 아이큐로 인생이 결정될 만큼 사는 것이 단순하지 않다. 인생의 가치를 한 단계 업그레이드시키고 싶다면 배움을 멈추지 말아야 한다. 배움과 수년간 단절됐다고 하더라도 다시 시작해야 한다.

배움이라는 것에 부담이 느껴질 수 있다. 이 나이에 무슨 공부를 다시 하냐며 학창 시절에 한 공부로 충분하다고 생각할 수 있을 것이다. 하지만 그것은 성인이 된 이후 진정한 배움의 가치를 깨닫지 못했기 때문에 생기는 오해다.

어느 회사의 사장님이 아침에 조깅을 시작하였다. 그로 인해 아침시간이 활기차졌고, 출근하는 것이 즐거워졌다. 건강을 위해 시작한 조깅이 건강뿐 아니라 정신도 맑게 해준다는 것을 느끼고 직원들에게도 하라고 권유했다. 사장님의 권유에 거절하기 힘든 직원들은 억지로 조깅을 해보지만, 상사가 시켜서 하는 것이라는 생각에 긍정의 에너지는커녕 오히려 몸만 피곤하고 스트레스는 커졌다.

이처럼 스스로 깨닫고 행동하는 것은 즐거움이 된다. 하지만 즐거움을 깨닫기 전에 의무적으로 하면 스트레스가 된다. 입시 공부는 후자의 경우에 해당되지만, 성인이 되어서 하는 배움은 전자의 경우에 해당된다. 시험점수에 나의 미래가 달려 있고, 하지 않으면 남들보다 뒤처질 것 같은 불안감에 하는 공부는 즐거움이 아닌 스트레스를 안겨준다. 공부는 재미없고 지루한 것이라는 편견을 우리의 잠재의식 속에 넣어버린 것이다.

몸짱 아줌마로 알려진 정다연 씨. 그녀는 현재 다이어트 전도사로 일본과 홍콩 등 해외를 넘나들고 있다. 2002년 비만이었던 자신의 다이어트 스토리를 인터넷 신문에 연재하면서 순식간에 유명인사로 등극하고, 지금은 자신만의 스토리를 가지고 1년에 1000억 원 이상의 매출을 올리는 사업가의 삶을 살고 있다.

비만이었던 36세에 운동을 처음 시작하게 되었고, 기초 체력이 좋지 않았던 그녀는 트레이너를 따라 하기 힘들어 자신만의 운동법을 찾기 시작했다. 자신이 만든 운동법으로 20대가 부러워하는 몸매를 만든 그녀의 스토리는 한국을 넘어 일본, 홍콩 등에서 새로운 한류를 이끌고 있다.

처음 운동을 시작한 것이 36세였고, '뚱뚱하고 평범한 주부에서 모델 같은 완벽한 몸매의 소유자가 되었다'는 그녀만의 스토리는 많은 사람들을 열광하게 만들었다. 그녀는 운동을 시작할 때 지금의 1000억 원 매출을 생각하지 못했다. 그저 자신이 선택한 운동에 최대한 집중했고, 자신에게 맞는 운동을 생각했을 뿐이었다.

시간이 지날수록 달라지는 자신의 모습을 보면서 즐거움을 느꼈다. 힘들고 지칠 때마다 다시 예전의 모습으로 돌아가고 싶지 않다는 생각에 '조금만 더, 한번만 더!'를 외쳤다. 그렇게 이를 악물고 하루하루를 넘기다 보니 어느 순간 다른 사람들이 부러워하는 몸매를 가지게 되었다. 자신감이 생긴 그녀는 다이어트에 도전하지만 쉽게 포기하는 수많은 여성들에게 자신이 만들어낸 다이어트 방법을 알려주고 싶었다.

'나도 저랬었는데……. 참 힘들었었지.'

다른 사람의 마음을 누구보다 공감하고 이해할 수 있었던 그녀는 사업가의 길을 걷게 되었다. 자신이 날씬해지는 것에만 만족했다면 '아줌마 한

류'를 이끄는 사업가 정다연은 아마 없었을 것이다.

이처럼 30대의 배움은 지식을 익히는 것보다는 지혜를 배우는 것에 가깝다. 좋은 점수를 받기 위해 머릿속에 집어넣는 배움이 아니라, 더 나은 삶을 위해 변화의 방법을 찾는 배움이 시작될 때이기 때문이다.

성인이 된 후 시작한 배움은 지식이나 기술의 습득을 넘어서 '인생의 가치를 최대화하는 것'에 목표를 두어야 한다. 긍정적인 기운을 얻고, 에너지를 최대화하며, 동기부여를 받고, 주변에는 좋은 영향을 미치며, 성취 의욕을 높일 수 있는 배움 말이다. 그런데 신기하게도 이러한 배움은 거기서 끝나는 것이 아니라 현실에 반영되어 분명한 성과로 이어진다는 점이다.

그럼 지금 어디서부터 시작해야 할까? 무슨 공부를 시작하고 어디서 배워야 할지 막막할 것이다. 성과를 바란다면 새로 배우기 시작할 때 나만의 원칙을 세우고 시작해야 한다. 원칙을 세우지 않으면 배움에 익숙하지 않은 나의 몸과 의식이 그것을 끊임없이 거부한다. 원칙을 정해놓아야만 배우고자 하는 마음이 변하지 않고 변화를 스스로 받아들일 수 있다.

첫째, 배움에 투자하는 비용을 생활비로 메워서는 안 된다.

생활비의 일부를 배움에 쓰고자 한다면 배움에 쓸 돈이 슈퍼에서 써질 가능성이 높다. 한 달 수입의 일정 부분을 재테크라 생각하고 배우고자 하는 곳에 사용해야 한다. 이 세상에서 가장 저조한 수익률의 펀드가 자식펀드이다. 투자 대비 성공률이 5%도 되지 않는다. 하지만 부모는 이 희박한

확률에 수입의 30% 이상을 올인한다. 성공률 낮은 자식 펀드에 투자할 비용을 줄여서라도 그보다 확률이 높은 부모의 배움 펀드에 투자해야 한다.

둘째, 목표를 설정하고, 외치고 시작해야 한다.

만약 영어 학원을 등록했다면 한 달은 무조건 100% 출석한다고 외치고 시작해보자. 건강 관리를 위해 헬스를 등록했다면 일주일에 세 번은 꼭 가겠다고 선포하고, 지키려고 노력해보자. 이렇게 스스로 만든 원칙을 지켜내는 것도 습관이 된다. 한번 지켜내면 그 뿌듯함에 조금 더 높은 원칙도 스스로 만들고 지킬 수 있다.

셋째, 결과가 눈에 보이지 않는다고 해서 조급함을 가져서는 안 된다.

이 나이에 영어를 배워서 어디에 쓰지? 이걸 배워서 취직할 때가 있나? 바리스타 자격증을 딴다고 커피숍을 차릴 것도 아닌데 돈까지 들여 배우는 게 낭비는 아닐까? 책 읽을 시간에 아이들과 더 놀아 주는 것이 남는 거 아닐까?

이런 부정적인 생각들은 무언가 배우고 싶어 꿈틀거렸던 가슴속의 열정을 빼앗는다. 지인으로부터 일자리를 소개받았는데 영어를 할 줄 알아야 하는 곳이라면 준비하지 않은 상태에서는 놓쳐버리고 말 것이다. 그제야 부랴부랴 시작하면 이미 늦었다. 기회는 준비된 사람에게만 잡힌다는 것을 기억하고 미리 준비하는 마음으로 조급해하지 않아야만 끝까지 해낼 수 있다.

위와 같은 원칙을 세우고 배우고 싶은 것까지 선택했다면 집중해서 배워보자. 30대 이후의 배움은 미래를 준비하기 위한 것이다. 배웠다면 생활에 적용하고, 쓰일 수 있는 방법을 찾아보자. 요리를 배운다면 해먹는 것에 그치지 말고, 사진을 찍고 블로그를 만들어 꾸준히 관리하거나 홈페이지에 올려보는 것으로 확장해 볼 수 있을 것이다.

영어를 배운다면 실력이 좋아지는 재미만 느끼지 말고, 써먹을 수 있는 곳을 찾아보자. 재능을 기부하여 아이들을 가르칠 수도 있다. 아이들을 가르치다 보면 경험과 요령이 생기고, 다음의 길이 보일 것이다. 요리를 블로그에 올리면서 사진도 배우고 싶다는 생각으로 열정이 확대되고, 아이들에게 영어를 가르치는 기쁨을 느끼면서 체계적으로 교육학을 배우고 싶다는 생각으로 배움은 확장되어 갈 것이다.

이처럼 긍정에너지는 배움의 영역을 확장하고, 하고자 하는 의욕을 높인다. 물론 이 과정에서 많은 노력이 필요하고 생각보다 잘 풀리지 않는 경우도 많다. 하지만 그럴 때일수록 조금 더 해보려고 노력해보자. 더 이상 재미가 붙지 않는 이유를 찾고, 이미 이루어 낸 사람들 옆에서 그들의 모습을 따라가려고 애써 보자. 항상 제자리인 것 같은 생각이 들어도 어느 순간 뒤돌아보면 예전의 내가 서 있던 자리는 저 멀리 희미해져 보일 것이다.

진정한 배움은 정말로 즐겁다. 즐기는 공부는 잠재의식을 바꾸고, 성공하고자 하는 의지를 지속적으로 생산하고, 무언가를 더 배우고 싶도록 이끈다. 성과를 바란다면 의식을 바꾸는 배움을 지속해야 한다. 30대 이후의 공부가 열정적이고 에너지가 넘칠 수밖에 없는 이유는 배움이 바로 현실과 생활, 그리고 성공으로 이어지기 때문이다.

혹시 그 배움의 결과가 바로 성공으로 연결되지 않는다고 해서 위축될 필요는 없다. 그 배움은 지금껏 살아온 경험과 합쳐져서 경제적인 성과로 돌아오기 때문이다. 지금껏 배운 것들이 만족스러운 결과를 내지 못한 것은 의식이 변하지 않았기 때문이다. 의식을 넓히고 확장된 상태에서 시작한 배움은 분명히 성공과 연결될 수밖에 없다.

03

마음을 움직이는 힘

요즘 싱크홀 관련 기사가 심심치 않게 보도고 있다. 특히 석촌동의 싱크홀은 지하철 공사 시 유출된 토사로 인한 것으로 추정되고 있다. 설계 시 예상했던 것보다 14% 이상의 토사가 더 발생되었는데도 개의치 않고 공사를 진행한 것이 싱크홀의 원인으로 추정되어 시공사 측에서는 싱크홀 복구를 위한 최선을 다하겠다고 발표했다. 세심하게 처리했으면 되었을 것을 문제가 생기고 나서 복구를 하려면 더 많은 비용과 시간을 소모하게 된다. 별일 없이 지나가면 다행이라는 안일한 생각이 크고 작은 사건 사고를 만드는 것이다.

'왕중추'의 책 《디테일의 힘》에 보면 중국 상하이의 지하철 1호선과 2호선이 디테일로 인하여 얼마나 큰 차이가 나는지 보여준다. 1호선은 독일인 건축가가 설계했고, 2호선은 중국인이 설계하였는데, 개통한 뒤 사람들은 작은 섬세함이 얼마나 큰 차이를 낳는지 확연히 깨닫게 되었다. 지하철 1호선에는 모든 역의 출구에 3단으로 된 계단을 설치했다. 지하철역으로 들어가기 위해서는 계단 세 개를 올라갔다가 다시 지하로 내려가야 하는 것이다. 이용하는 사람에게 약간의 불편함은 있지만, 이로 인하여 1호선의 홍수 방지 시설은 단 한 번도 사용된 적이 없다. 하지만 이를 생각하지 않은 2호선은 비가 올 때마다 침수되는 바람에 매년 복구로 인한 경제적 손실이 발생하고 있다.

또한 1호선의 출입구는 꺾어지는 형태를 가지고 있다. 이는 드나들기 불편하고 공사비용을 늘린다는 오해를 살만 했지만, 이로 인한 절전효과는 공사비용을 가뿐히 넘어섰다. 에어컨을 켜고 문을 열어 놓느냐, 닫고 있느냐의 차이처럼 꺾어지는 형태를 가진 출입구는 절전효과를 내기에 충분했던 것이다. 이처럼 언뜻 보기에는 쓸모없어 보이고, 낭비인 것 같은 세심함으로 인하여 2차, 3차 경제적 손실을 미리 예방할 수 있는 것이다.

공급자 입장에서 세심한 것은 처음에는 조금 손해 보는 듯한 느낌을 준다. 남들처럼 쉽게 하면 되는데 시간이 단축되기 때문이다. 하지만 작은 디테일에 감동받은 사람은 그 제품과 회사의 팬이 된다. 그렇기 때문에 수많은 기업에서 디테일을 강조한다. 고객을 끌어당기기 위해 매년 수천억 원씩 제품 개발에 투자하지만 그렇게 어렵게 얻은 소비자는 작은 감정의 변화로 쉽게 등을 돌린다. 기술 간의 차이가 많지 않는 세계의 경제 상황에서 소비자의 마음을 얻는 가장 쉬운 방법은 디테일에 있다.

휴대전화 시장의 1세대 주역이었던 에릭슨은 1990년대 전 세계 휴대전화 시장의 선발 주자로 한때 점유율 18%를 웃돌았다. 후발 주자였던 삼성이나 노키아가 대리점에서 들려오는 작은 불만의 소리에 귀를 기울였지만 에릭슨은 무시했다. 그로 인하여 에릭슨은 휴대전화 시장의 급속적인 성장 속에 서서히 몰락의 길을 걷게 되었다.

설상가상으로 2000년에 발생한 미국 필립스 공장의 화재는 작은 것을 무시한 에릭슨에게 돌이킬 수 없는 큰 타격을 주었다. 공장 생산 물량의 40%의 휴대폰 부품을 납품받기로 한 에릭슨과 노키아는 발등에 불이 떨어졌다. 노키아는 당장 위기 대응팀을 구성하여 전 세계를 돌아다니며 대체할 부품을 찾아 생산 차질을 최소화하기 위해 노력했다. 하지만 에릭슨은 곧 정상화된다는 필립스 측의 이야기만 듣고 기다리다가 한 달 동안 휴대폰을 생산하지 못했다. 이 결과로 에릭슨은 그해 생산량이 전년도 대비 3%가 떨어져, 세계시장 점유율이 9%로 떨어졌고, 반대로 노키아는 3% 늘어난 30%에 이르렀다.

이 두 기업의 차이는 위험에 대비한 매뉴얼이 있느냐 없느냐의 차이였다. 미래에 생길지 모르는 위기에 대응하는 방법을 미리 준비해 놓았던 노키아에 비해, 안일하게 대처한 에릭슨은 돌이킬 수 없는 몰락의 길로 들어섰다.

최근에는 건설사에서 아파트를 설계하기 전에 주부 모니터 요원을 뽑아 그들의 다양한 의견을 많이 적용한다. 그 결과로 최근에 지어진 아파트에는 주부들을 매혹시키는 수많은 아이디어가 곳곳에 숨어 있다. 주방에서 보내는 시간이 많은 주부들을 위해 주방의 크기가 커지고, 수납공간이 다양해졌다. 또한 주방 옆에 작은 서재로 쓸 수 있는 공간이 만들어지기도 한다. 현관 입구에는 아이를 앉혀서 신발을 신길 수 있는 접는 의자가 숨겨져 있기도 하고, 집 안에서 현관문을 개폐할 수 있는 장치도 생겨났다. 아침밥을 제공하는 아파트 단지도 있고, 세탁을 해주는 곳도 있다. 이처럼 주부들의 마음을 사로잡는 작은 아이디어로 회사의 이미지를 높이고, 불황의 경기 속에서도 높은 분양률을 이끌어내고 있는 것이다.

이제는 사소한 것에 목숨을 걸어야 한다. 100-1=99는 수학에서만 정답이다. 사람관계, 회사생활, 마케팅 등 수학을 제외한 모든 방면에서 100-1=0이다. 99가지를 잘해도 한 가지 실수가 모든 일을 망칠 수 있는 원인이 되기 때문이다. 99개를 완벽하게 하려고 노력하지 말고, 작은 것 하나라도 놓치지 않는 습관을 들이자. 작은 차이, 상대방을 먼저 배려하는 세심함은 나를 특별한 사람으로 만들어 줄 것이다.

영국이 낳은 세계적인 배우였던 찰리 채플린은 무명 시절 철공소에서 일했다. 어느 날 바쁜 일과로 저녁을 하지 못한 사장이 그에게 빵을 사오라고 시켰다. 찰리 채플린이 사다 준 봉투를 열어본 사장은 자신이 주문하지 않은 와인이 같이 들어 있는 것을 발견하고 물었다.

"와인은 시킨 적이 없는데?"

그러자 찰리 채플린은 대답했다.

"사장님은 일이 끝나면 언제나 와인을 드시곤 했습니다. 그런데 오늘은 와인이 떨어진 것 같아서 제가 사왔습니다."

사장은 채플린의 말에 감동을 받았고, 그의 일당을 올려주었다. 그 이후로 그를 대하는 태도 또한 완전히 달라졌다. 찰리 채플린은 사장에게 와인을 사다 주는 수고를 함으로써 그의 신뢰를 받았다. 이렇게 작은 것에도 세심하게 생각하는 채플린은 그를 영국 최고의 배우의 자리까지 올려주었다.

'나는 꼼꼼한 성격이 아니야', '난 그건 거 못해'라며 미리 단정 지어서는 안 된다. 당장 그 방법을 모르겠다면 주변 사람들의 생일부터 챙겨주는 것으로 시작해 볼 수 있다. 크고 비싼 선물이 아니더라도 조금의 관심을 가지고 있다고 표시를 해보는 것은 어떨까? 당신의 세심함을 선물 받은 상대방이 당신을 대하는 태도가 180도로 바뀔 것이다. 왠지 자존심이 상하고 비용이 아까운 생각이 들지도 모른다. 하지만 작은 배려로 상대방의 마음을 살 수 있다면 당신의 인간관계는 조금씩 넓어지고 탄탄해질 것이다.

사람은 평생 혼자서 살아갈 수 없다. 특히 아이를 키우는 부모라면 상대방을 배려하는 모습을 아이에게 알려주는 것이 어떤 사교육보다 중요하다. 사람을 배려할 줄 알고 상대의 마음을 얻는 법을 아는 것은 앞으로 살아가는 데 있어 가장 큰 스펙이 될 것이다.

04

상처 난 자존감을 메우는 방법

일본에서 '경영의 신'으로 불리는 마쓰시다 전기의 창업주 마쓰시다 고노스케는 자신의 성공비결을 이렇게 이야기한다.

"나에게는 하늘이 주신 세 가지의 은혜가 있습니다. 첫째로 가난한 집에서 태어났기 때문에 부지런히 일해야 살 수 있다는 진리를 깨달았고, 둘째로 약하게 태어났기 때문에 건강의 소중함을 깨달아 꾸준한 관리로 90세를 넘길 때까지 건강하게 살 수 있었습니다. 셋째로 초등학교도 졸업하지 못했기 때문에 이 세상의 모든 사람을 스승으로 삼을 수 있었습니다. 이 3가지가 제 성공비결입니다. 지금 우리가 겪는 고통과 어려움의 시간은 곧 성공을 위한 축복의 시간들입니다."

그의 성공비결은 성공을 원하지만 환경을 탓하는 현대인들에게 자신의 모습을 되돌아보게 해준다. 대부분의 사람들은 실패 앞에 '가난한 부모 때문이고, 몸이 약해 공부와 운동을 잘할 수가 없었으며, 학력이 낮아 실력을 갖추어도 취업할 곳이 없었다'고 이야기한다.

영어 공부를 하고 싶은데 어학연수를 가지 못하는 상황이 원망스럽다. 결혼을 하는데 월세살이부터 시작해야 하는 내 형편이 불만족스럽다. 누군가 조금만 도와주면 이번 고비는 넘길 것 같은데 현실은 그렇지가 않다. 포기하고 주저앉고 싶을 때마다 '나는 충분히 노력했지만 환경이 받쳐주지 않아서 포기할 수밖에 없었어'라는 말은 위안을 준다.

어떤 일이든 목표를 세우고 해내감에 있어서 크고 작은 고난이 찾아온다. 여태껏 열심히 노력했지만, 더 할 수 없을 것 같을 때 사람들은 지금 잡고 있는 것을 놓을 핑계거리를 찾는다.

"나도 어학연수를 다녀왔으면 그 정도는 할 수 있어."

"친정에서 아이들만 봐줬어도 이번에 승진할 수 있었는데……."

"시댁에서 집만 사줬으면 이것보다는 편하게 살 텐데……."

다른 사람이 가지고 있는 것을 가지고 있지 않아 나는 할 수 없었고, 나도 환경만 받쳐 주면 그 정도는 할 수 있다고 말이다. 하지만 동전을 뒤집는 것처럼 나의 생각도 뒤집어보자.

'비非 유학파, 체육학과 출신, 토종 영어강사 박 코치'는 자신의 솔직한 커리어를 내세웠다. 스펙을 위해 학력을 위조하는 사람들과 정반대의 방법으로 자신을 어필한 것이다. 그는 체육학과를 나와서는 안정적인 생활을 할 수 없다고 생각했다. 그래서 생각한 것이 영어였다.

군대 제대 후 제대로 된 영어 공부를 하고 싶었지만 아버지의 사업 실패로 어학연수는 생각할 수도 없었다. 그래서 귀부터 뚫어야겠다는 생각에 무조건 듣고 외웠다. 영어 문장이 들릴 때까지 듣고 똑같아질 때까지 외우고 따라했다. 그렇게 2년을 영어에 올인하니 원어민 수준의 회화를 구사할 수 있게 되었다.

영어에 자신감을 얻게 된 그는 자신만의 영어 공부법을 체계화하여 영어강사의 길에 들어섰다. 영어와 관련된 졸업장도 없던 그에게 '스펙'이 곧 실력인 영어강사의 길이 쉬울 리가 없었다. 수많은 시행착오가 있었고, 이를 극복하면서 자신의 영어 공부법을 업그레이드시켰다. '소리 영어'라는 독특한 방식으로 영어를 습득하는 그의 강의는 점차 소문이 나기 시작했다. 수년간 영어에 매달려도 입도 열지 못했던 수많은 사람들에게 영어에 대한 자신감을 심어주기 시작했다. 자신의 부족함을 이겨내기 위해 누구보다 애썼던 그의 노력은 '성인 대상 영어강사 중 최다 수강생 보유'라는 결실을 맺었다.

박 코치로 더 유명한 박정원 씨의 꿈은 '공교육 영어를 자신의 소리영어 학습법'으로 바꾸는 것이다. 이제 그는 한 번도 외국에 나가지 못한 한국의 학생들의 꿈이 되었다. 다른 사람들 같으면 '체대 출신인데 어떻게 영어강사를 해', '유학도 안 갔는데 어떻게 영어를 잘할 수 있겠어'라며 시도조차 해보지 않았을 것이다. 하지만 그는 시도했고 해냈다. 시련을 이겨내자 보잘것없던 스펙이 이제는 그에게 가장 큰 스펙이 된 것이다.

사람마다 태어나는 환경은 다르다. 인생은 100미터 달리기를 하듯 모든 사람이 동일한 출발선에서 출발하지 않는다. 누군가는 앞서서 출발하기도 하고 누군가는 훨씬 뒤에서 출발하기도 한다. 하지만 좌절할 필요는 없다. 인생은 100미터 달리기가 아닌 마라톤이기 때문이다. 마라톤 경기에 있어서 중요한 것은 출발이 아니다. 중요한 것은 자신의 페이스를 알고 한계를 이겨내는 것이다.

유명 토익 강사인 유수연 씨는 어느 유명 강사와 서로 인기 강사가 된 이유에 대해 이야기를 나누었다.

"솔직히 말해서, 전 항상 1등만 해봐서 학생들이 왜 공부를 못하는지 이해가 안 돼요. 학생들이 그러는데 쌤은 잘 아신다면서요? 그래서 학생들이 잘 따른다면서요? 얘기 좀 해주세요."

"하하하, 그래요. 저 공부 못했어요. 1등도 못해봤어요. 머리도 나쁘고 일류대도 못 나왔어요. 그래서 평범한 학생들이 얼마나 불안하고 힘들어 하는지 잘 알아요."

그녀가 10억 이상의 연봉으로 최고의 영어강사가 된 비결은 아이러니하게도 공부를 못했기 때문이다. 지방대 출신이라는 꼬리표를 가지고 성공한 그녀는 토익점수에 목매는 학생들의 마음을 그 누구보다 잘 알고 있기에 그들의 눈높이에 맞는 강의를 할 수 있는 것이다.

유수연 씨가 영국에서 경영학 석사과정에 있을 때 한국의 가족들로부터 연락이 왔다. 부모님이 경영하시는 식당이 경험 부족으로 빚더미에 올라앉아 있다며 그녀에게 SOS 요청을 했다. 그녀는 어렵게 시작한 공부를 중단하고 한국으로 돌아가야 하는 것이 내키지 않았다. 하지만 힘들어 하는 식구들을 외면할 수는 없었기에 떨어지지 않은 발걸음이지만 한국으로 돌아왔다.

한국으로 돌아온 그녀는 식당을 호프집으로 바꾸었다. 길거리로 나가 전단을 돌리고 새벽시장을 돌며 직접 장을 봤다. 주방에서 안주를 만들기도 하고 서빙도 했다. 호객 행위로 경찰에 잡혀 가기도 하고, 하루에 생맥주 통을 수십 개씩 옮기면서 가게에 올인했다. 다시 영국으로 돌아가는 날을 하루라도 당기겠다는 목표로 오직 가게에만 매달렸다. 그 결과 1년 만에 가게는 하루 1000만 원의 매출을 올리게 되었고 부모님은 경제적으로 안정을 찾게 되었다.

다시 영국을 돌아온 그녀에게 1년의 공백은 너무나도 컸다. 미친 듯이 공부에 매달려도 그 공백을 채울 수가 없었다. '가족들이 애원해도 한국으로 가는 게 아니었어'라며 후회했지만 이미 엎질러진 물이었다. 하지만 그녀는 포기할 수 없었다. 어떻게든 졸업은 해야 했다.

졸업을 위해 석사 논문의 주제를 정해야 했다. 1년의 공백기를 가진 그녀로서는 다른 동기들에 비해 학술적인 부분이 떨어질 수밖에 없었다. 논문의 주제를 선정하는 것이 가장 큰일이었다. 그때 한국에서 쪽잠을 자면서 일으킨 호프집이 생각났다. 그녀는 자신의 경험을 살려 서비스 산업에서의 경영 실무와 이론적인 차이점에 대한 논문을 쓰기로 결정했다.

〈Difference between academic theories and practices in service industry서비스 업종에의 경영 이론과 현장 실무에서의 격차〉

이렇게 탄생한 논문은 실제 경험을 바탕으로 하였기에 많은 기업의 눈에 띄었고, 졸업 후 미국의 하얏트 호텔에 취업할 수 있는 기회가 주어졌다. 그렇게 그녀는 시련 속에서 성공의 문을 열게 되는 방법을 찾았다.

지금은 잘나가는 그녀이지만 그 성공은 우연한 것이 아니었다. 또한 자신에게 주어진 상황이 억울하고 원망스러웠지만 받아들였고 변명하지 않았다. 하고자 하는 마음이 있으면 방법이 보이고, 하기 싫은 마음이 있으면 변명이 보인다고 하지 않았는가? 그녀는 해내고자 마음을 먹었고 방법을 찾았다. 그리고 누구보다 멋지게 자신에게 닥친 시련을 넘어섰다. 가족의 힘든 상황을 외면하고 계속 영국에 머물렀더라면 이렇게 멋진 논문은 세상에 나오지 못했을 것이고, 지금의 그녀 또한 없었을지 모른다.

눈앞에 있는 기회의 문이 닫히면 또 다른 기회의 문이 열린다. 하지만 대부분의 사람들이 닫힌 문 앞에서 절망하느라 다른 문이 열려 있음을 알지 못한다. 지금 혹시 닫혀버린 문 앞에서 후회를 하고 있다면 주변을 둘러보자. 또 다른 문이 열려 있는 것이 보일 것이다.

항상 수능을 보고 나면 수석을 한 학생들의 인터뷰가 신문에 나온다. 그 때 사람들에게 감동을 주는 스토리는 잘나가는 부모님과 좋은 집안 환경에서 좋은 성적을 거둔 학생의 이야기가 아니다. 어렵고 힘든 상황에서 좋은 성적을 거둔 학생의 이야기가 많은 사람들의 가슴을 적신다. 남들 앞에 내세울 만한 것이 아니라고 할지라도 그것들을 나만의 스토리로 만들어보자. 그것은 그 어떤 것보다 강한 스펙이 된다.

지금 나의 상황이 눈물 나게 어려운 상황일 수 있다. 꿈도 미래도 생각할 겨를도 없이 하루하루 살아가는 것조차 버거울 수도 있다. 하지만 그럴수록 한 발짝 물러서서 조금 먼 곳을 바라보자. 이 상황을 이겨내면 분명 조금 더 단단해져 있을 것이다. 세상은 상처를 이겨내고 단단해진 사람들에게만 기회를 준다는 사실을 잊지 말자.

05

지금까지 해오던 일의 방식을 바꿔라

작년 여름, 샌들을 사기 위해 백화점을 들렀다. 두 아이와 함께 다니는 경우가 많아서 신발을 고르는 첫 번째 조건은 발이 편한 것이다. 편하면서 디자인도 세련된 마음에 드는 구두를 발견했다. 세일도 없고 할인도 해주지 않아 고민스러웠지만 딱히 마음에 드는 것이 없어 사 가지고 왔다. 집에 와 다시 생각해보니 너무 비쌌다. 막상 신으려니 돈이 아깝다는 생각에 인터넷 검색을 해보았다. 알고 보니 내가 구입한 신발은 미국 브랜드였다. 해외직구를 통해 국내보다 싸게 구매했다는 어느 블로그의 글을 읽게 되었고, 그것이 계기가 되어 난생처음 해외직구에 도전해 보았다.

그동안 직접 매장을 방문하거나, 국내의 온라인 사이트를 통해서만 물건을 구입했었다. 해외 쇼핑몰에서 물건을 구매하는 것은 생각보다 단순하지가 않았다. 해당 구두 판매 사이트에서는 신용카드가 해외 겸용임에도 불구하고 결제가 되지 않는 것이다. 검색을 해보니 해외 쇼핑몰에서는 우리나라 신용카드가 결제되지 않는 경우가 종종 있었고, 이런 경우를 대비해 '페이팔'이라는 서비스가 있음을 알게 되었다.

제품을 장바구니에 담고 페이팔을 통해 결제했다. 하지만 다음 단계에서도 문제가 생겼다. 해외 인터넷 쇼핑몰은 우리나라까지 배송해주지 않는다는 것이었다. 방법을 찾다가 배송대행 서비스에 대해 알게 되었다. 해외 쇼핑몰에서 구입한 제품은 배송대행 업체로 배달되고, 그 업체에서 한국까지 배송을 담당하게 되는 시스템이었다. 우여곡절 끝에 배송대행 업체를 통해 백화점에서 구입한 것과 똑같은 구두를 1/3도 되지 않는 가격에 구입할 수 있었다. 열흘 뒤, 나는 구두를 받아 볼 수 있었고 백화점에서 산 구두는 환불하였다.

처음 시도해본 '해외직구'는 같은 물건을 싸게 살 수 있는 방법을 알게 된 것 이상의 가치가 있었다. 인터넷이 이미 세상의 구석구석을 연결하고 있고, 그와 함께 수많은 신생 서비스들이 생겨나고 있음을 알게 되었다. 기술은 이미 사람들이 알고 있는 이상으로 발달해 있다. 인간의 상상력이 기술의 발달을 따라가지 못한다는 어느 기업가의 말이 비로소 이해가 되었다.

'상상하는 대로 이루어진다!'는 어느 광고의 문구가 현실이 된 지금, 경험만으로 다가오는 미래를 준비할 수 없다. 지금 당장 살아온 방식을 바꾸지 않는다면 시간이 지날수록 세상과 나의 괴리감은 커질 것이다.

출산 후 여성들은 아이의 눈높이에 맞춰 생활을 하다 보니 세상의 변화에 무뎌질 수밖에 없다. 하지만 잊어서는 안 된다. 세상은 내가 생각하던 것보다 빨리 변하고 작아지고 있다는 것을 말이다.

여성들도 사회적인 문제와 변화에 민감해져야 한다. 변화하지 않으면 변화당할 것이기 때문이다. 스스로 흐름을 읽고 능동적으로 변화를 리드하는 것과 남들 하는 것을 쫓아가며 수동적으로 변화당하는 것의 차이는 '극과 극'이다. 부동산 투자를 할 때 정보를 가지고 미리 투자한 사람들은 큰 이윤을 남기지만, 남들이 다 할 때 투자하는 사람은 손해를 볼 수밖에 없듯이 말이다. 변화의 흐름을 앞서 타지 않으면 결코 경제적 여유를 누릴 수 없다.

세상의 흐름을 알아야 할 또 하나의 이유는 아이들 때문이다. 과거에 알고 있던 지식을 그대로 아이들에게 알려주면 아이의 미래를 부모가 망치는 꼴이 된다. 지금의 30대는 초등학교를 입학하고, 중학교를 지나 고등학교를 갔다. 대학을 입학하고 토익시험을 보고 자격증을 따서 취업을 했다. 그리고 그 경험을 가지고 평생을 살아내려고 하고 있다. 과거 부모님 세대에서 배운 과정을 그대로 따라가고 있기 때문이다.

부모님들은 태어나 20년 동안은 부모님의 도움을 받고, 20세에 배운 경험으로 60세까지 일할 수 있었다. 그동안 모은 돈으로 서넛이나 되는 자식들을 대학 공부시키고 결혼까지 시키는 것도 가능했다. 그 당시는 집값도 지금처럼 비싸지 않았고, 경제도 꾸준히 성장했기 때문이다.

하지만 지금의 현실은 그때와는 완전히 딴판이다. 자식들은 30세가 넘도록 독립을 하지 못하고, 여성들의 첫 출산 평균 연령이 32세가 넘어섰다. 부모님 도움 없이 내 집을 마련하기 위해서는 30년은 모아야 한다. 아이들이 태어나면 그 아이들을 대학생이 될 때까지 필요한 돈이 일인당 3억 원에 달한다.

또 수명은 어떠한가? 과거에는 65세쯤까지 경제생활을 하고 10여 년간만 자식들의 부양을 받고 생을 마감할 수 있었다. 하지만 지금은 어렵게 60세까지 경제생활을 하더라도 수입 없이 살아내야 하는 기간이 40년에 달한다. 예전에 살아온 방식처럼, 대학 나와서 좋은 직장 다니고 적당히 사는 것으로는 안정된 노후를 보장받기 어려워진 것이다.

그럼 이렇게 과거와는 다른 세상을 살아가는 우리는 무엇을 해야 한다는 말인가? 변화에 민감하게 반응할 수 있는 감각을 발전시켜야 한다. 내가 가지고 있는 아집을 버리고 새롭게 받아들일 준비를 해야 한다.

몇 년 새 집값은 떨어지고, 전셋값은 하루가 다르게 치솟고 있다. 이는 집은 소유해야 한다는 생각이 사라지고 있음을 보여준다. 집은 '자산'이라는 개념보다는 '부채'의 개념이 되어버렸다. 부모님은 이렇게 이야기한다. 쓰러져가는 오두막이라도 내 집이 있어야 발 편히 뻗고 잔다고 말이다. 젊은이들의 생각은 다르다. 어설픈 집 때문에 즐기지도 못하고 궁상맞게 사느니 쓰면서 행복하게 살고 싶다고 말한다. 그래서 20대에 외제차를 사기도 하고, 월급보다 비싼 명품 가방을 사기도 하며, 여름휴가는 해외로 나가는 것을 당연하게 여기곤 한다.

변화에 민감해지라는 이야기는 여기서 어떻게 적용시킬 수 있을까? 주변에서 습관처럼 하는 이야기를 생각 없이 받아들여서는 안 된다. 집은 더 이상 투자 가치가 없다. 내게 충분한 자금 여력이 있다면 안정된 생활을 위해 사도 상관없다. 하지만 무리하게 대출받아 이자를 내면서 집을 살 필요가 있는지는 각자의 경제 상황에 따라 생각해 보아야 할 것이다.

지금의 20대 이전의 청소년들은 물질적인 부족함 없이 자랐다. 희생보다 자기만족이 우선인 세대이다. 이들이 사회에 나올 때쯤이면 어떠한 변화가 올 것인지 생각해보자. 결혼을 꼭 해야 하는 것이라고 생각하는 사람들이 점점 줄어들 것이다. 직장생활을 국내에서만 해야 한다는 생각도 바뀔 것이다. 다시 말해 우리 아이들은 해외에서 취업할 확률이 높다. 그리고 그 빈 자리는 외국인 노동자가 채울 것이다. 이러한 변화는 거부한다고 오지 않는 것이 아니다. 한번 지나가고 마는 유행이 아닌 '흐름'이기 때문이다.

최근 들어 정부에서는 경력 단절 여성들의 사회 진출을 도모하려는 움직임을 보이고 있다. 고학력이지만 결혼과 출산으로 인해 경제활동을 하지 않는 것은 사회적으로 큰 손실이기 때문이다. 출산율은 낮아지고 평균연령은 높아지면 일하는 인구가 줄어들게 된다. 커지는 인력 공백은 큰 문제가 아닐 수 없기 때문에 젊은 여성들의 사회 진출을 정부 차원에서 지원하려

하는 것이다. 당장은 육아로 인하여 다시 사회생활의 필요성을 깨닫지 못할 수도 있다. 하지만 이런 흐름을 읽고 사회로 복귀를 미리 준비해 놓은 사람과 그렇지 못한 사람의 10년 후는 다를 수밖에 없다.

내가 혹은 나의 남편이 철밥통 직장을 가지고 있다고 하더라도 절대 자만해서는 안 된다. 세상은 계속해서 변한다. 그리고 그 세상은 변화에 적응하는 사람만 살기 좋은 곳이다. 내가 살아온 경험만으로 변화의 속도를 따라잡을 수 없다. 세상은 내가 생각하는 이상으로 빠른 속도로 변해가기 때문이다.

새로운 것을 두려워하지 말고 변화를 몸에 익혀야 한다. 남들이 하니까 따라가지 말고 변화 속에서 전체적인 흐름을 읽어보도록 하자. 오래된 습관을 버리고 새로운 것을 익히는 것이 자연스러워지면 앞으로 어떻게 변해가야 하는지 조금씩 알 수 있다. 그렇게 변화의 흐름을 알게 되는 것은 나의 미래를 준비하는데 큰 도움이 된다.

'우리 때는 말이지……' 하는 어른들의 말씀이 정말 듣기 싫었던 시절이 있었다. 하지만 이제는 내 입에서 '우리 때는 안 그랬는데 요즘 애들은 왜 이러니?' 하는 말이 너무나도 자연스럽게 나온다. 과거의 생활방식을 고수하다가는 21세기인 지금 20세기의 삶을 살 수밖에 없다.

무조건 따라가지도, 무조건 비판해서도 안 된다. 과거에 비해 지금 어떤 것이 변했고 앞으로 어떤 것이 변할 것인지 냉철하게 사고하는 습관을 들이자. 빠르게 변해가는 세상에서 편안함 속에 안주하다 보면 나의 노후는 누군가에게 기댈 수밖에 없다. 사랑하는 아이에게 나의 노후를 책임지게 하고 싶지 않다면 지금까지와는 다른 방식으로 미래를 맞이할 준비를 하자.

06

결혼, 육아, 가사 문제에는 다른 전략이 필요하다

남편이 아침에 가장 먼저 눈을 떠 커피메이커에서 커피 한 잔을 따르고 아내를 깨운다. 아이들과 엄마는 토스트를 굽고 시리얼에 우유를 붓는다. 그리고 다 같이 집을 나서고 차로 아이들을 학교까지 데려다 준다. 부모들은 각자의 업무시간에 누가 아이들을 픽업할지 전화로 의논을 한다. 토요일이면 아이들의 축구 경기에 온 식구가 같이 응원을 가고, 저녁에는 누군가의 집에서 바비큐 파티를 한다.

과거 영화에서 자주 볼 수 있었던 미국 가정의 모습이다. 생소하기만 하던 서양의 문화가 어느새 우리에게도 익숙한 모습이 되어 가고 있다. 아침 두 아이의 등굣길에는 아빠의 손을 잡고 오는 아이들도 많다. 출근하면서 차로 아이들을 학교 앞까지 데려다 주는 모습도 낯설지 않다. 주말이면 가족들과 캠핑을 가고, 엄마가 일하는 동안 아빠가 육아를 담당하는 경우도 자주 볼 수 있다.

하지만 인터넷 포털사이트의 토론게시판에는 남편과의 가사 분담에 관한 고민 글들을 자주 볼 수 있다. 맞벌이를 하는데 남편은 집에 오면 소파에 누워 리모컨을 잡고 자신은 주방으로 가서 저녁 준비를 해야 하는 것이 불공평하다는 이야기, 남편에게 도와달라고 말하면 마지못해 도와주는 것이 못마땅하다는 이야기, 남자들이 집안일과 육아를 당연히 여성의 몫이라 여기는 것이 억울하다는 이야기들이 올라와 있다.

과거와는 달리 맞벌이하는 가정이 많아지고 있다. 결혼을 앞둔 남자들 대부분이 결혼 후에도 아내가 직장을 계속 다니기를 바란다. 하지만 여전히 육아와 살림은 여성의 몫이라는 생각은 바꾸려 하지 않는다. 여성들이 결혼과 출산 후에도 일을 하는 것이 자연스러워지고 있는 만큼 이것을 바라보는 사람들의 시각도 많이 바뀌어야 한다.

함께 퇴근을 하지만 여성들은 집으로 다시 출근을 한다. 결혼한 여성에게 집은 쉬는 곳이라기보다는 또 다른 일이 있는 곳이다. 하지만 남성들에게는 휴식의 공간이다. 결혼과 동시에 남자들은 효자가 되고, 출산을 하면서 여성들은 그전에는 없었던 모성애를 강요당한다. 결혼도 함께했고, 아이도 함께 낳았다. 함께 생활하는데 살림과 아이에 관한 모든 것들을 여성들이 전담하고 남자들은 왜 도와주는 입장이 되어야 하는가?

이러한 생각은 여성들뿐만 아니라 남성에게도 좋지 않다. 남편들도 아이들이 어렸을 때부터 육아와 살림에 관여하는 것이 좋다. 남편들도 언젠가 퇴직을 했을 때 자신들이 돌아올 자리를 가정 어딘가에는 마련해 놓지 않으면 퇴직 후 40년을 외롭게 보낼 것이기 때문이다. 아내들은 모든 것을 내가 다 해야 하고, 완벽하게 해야 한다는 생각부터 접어보자. 그리고 남편들도 가사와 육아는 아내가 전담하고 자신은 도와주는 입장이라는 생각을 바꿔보자.

몇 년 전 나보다 일찍 결혼한 친구의 집들이를 갔다. 힘든 박사과정을 좀 더 안정적으로 하고 싶어 같은 연구실의 선배와 결혼을 한 친구였다. 하지만 결혼생활은 그녀의 바람과 달랐다. 남편에게는 가정이 있다는 것이 안정감을 찾는데 도움이 되었지만, 친구는 결혼 후에 챙겨야 할 식구가 생기고 해야 할 의무가 늘어났다. 친구는 피곤한 몸으로 집으로 돌아가면 식사 준비와 집안 정리 등 그동안 하지 않았던 것을 하느라 결혼 전보다 더 힘들어 했다.

결혼 후 첫 번째 맞이한 명절에 일은 터졌다. 맏며느리인 친구는 시댁에서 편히 앉아 보지도 못한 채 힘들게 일했고, 그동안 남편은 밀린 잠을 자거나 TV를 보며 쉬는 시간을 보냈다. 그 모습을 본 친구는 속에서 천불이 났지만 참았다. 피곤한 몸을 이끌고 친정으로 갔다. 친정에서도 남편이 사위 대접을 받으며 쉬는 모습을 보자 터져버리고 말았다. 친정에서 돌아온 그 친구는 남편과 싸우고야 말았다.

"나는 시댁 가서 일하고 한 번도 못 쉬고 오는데, 왜 너는 너희 집에서도 쉬고 우리 집에서도 쉬어? 내가 너희 집에서 설거지하니까 너는 우리 집에서 설거지해. 난 너희 집에서 일하는데 왜 우리 집에서는 우리 엄마가 일해야 해? 네가 해."

그런 친구의 말에 남편은 기가 막혔다. 남편은 당연히 여자는 살림해야 한다는 생각이 머릿속에 가득했기 때문이다. 가사를 분담하고 시댁에 가서 일하는 것에 관한 문제로 계속해서 다퉜고 결국 친구는 이혼했다. 이혼 후 친구는 독일로 유학을 갔고, 그곳에서 취업한 후 한국으로 다시 돌아올 생각이 없다고 한다. 이처럼 한국에서 며느리로 아내로 엄마로 살아가는 것은 쉽지 않다.

과거에 비해 지금 사회는 분명히 달라졌다. 하지만 사람들의 사고방식은 사회의 변화만큼 바뀌지 못했다. 모 아기용품 회사에서 주부들을 대상으로 '육아'에 라는 키워드로 빅 데이터 분석을 했다. 엄마들이 육아에 대해서 느끼는 감정은 '너무 힘들어요', '스트레스가 너무 심해요', '우울해요', '제가 잘하고 있는 것인지 모르겠어요' 등 부정적인 반응이 90%를 차지했다고 한다. 여성들의 지위가 올라가고 지식수준이 높아진 것에 비해 가정이나 직장에서 여성들의 역할에 관한 사고방식은 전혀 바뀌지 않았다. 그로 인해 내적인 충돌이 많아지고 불안감이 생기게 되는 것이다.

여성들이 결혼을 하면 사표를 쓰는 것이 당연하게 여기던 시절, 유한킴

벌리의 이호경 상무는 일과 결혼, 그리고 출산과 육아를 함께 해내기로 결심했다. 사회에서 요구하는 것이 아닌 내면의 소리에 집중했다. 자신의 꿈을 위해 남편과 주변 식구들을 설득시켰고, 결국 일과 육아라는 두 마리 토끼를 다 잡을 수 있었다. 그녀는 자신과 같은 길을 걸어갈 후배 여성들을 위해 자신만의 30년 노하우를 알려주고자 나섰다.

'일맘(매일 행복한 워킹맘)'의 전도사를 자청한 그녀는 수많은 워킹맘들에게 '세상의 속도를 알고 나의 속도를 알고 한 발 한 발 나아가라'고 조언한다. 아이도 부모도 경험이 쌓이면서 함께 성장한다는 것이다. 내가 할 수 있는 범위 안에서 가장 최적의 방법을 찾고 즐기려고 노력하는 것이 가족 모두가 행복해질 수 있는 방법이라는 것이다.

결혼과 살림, 육아 이 모든 것을 과거와는 다른 방식으로 대해야 한다. 20대 후반이면 노처녀라고 불린 것이 불과 10여 년 전이다. 하지만 초산의 나이가 32세가 넘을 정도로 결혼의 시기와 출산의 시기가 늦춰지고 있다. 과거보다 길어진 교육기간, 거기에 취업을 준비하기 위한 기간이 추가되고 그로 인한 비용도 기하급수적으로 늘어나고 있다. 결혼하지 않아도 된다고 생각하는 사람들이 늘어나고 있다. 높은 물가와 생활비로 결혼을 해도 아이를 낳지 않겠다는 사람들도 많아졌다. 여러 가지 복합적인 이유로 출산율은 매년 하락하고 있다. 이로 인한 인력 공백에 대한 문제점이 연일 뉴스에 보도되고 있다.

학력 수준이 높은 여성들이 출산과 육아로 전업맘의 삶을 살게 되면서 자신의 성장 욕구를 아이들에게 분출한다. 내가 못다 이룬 꿈을 아이에게 살아가기를 강요한다. 아이의 성공이 나의 성공이고, 아이의 성적이 나의 인생 성적표로 여기게 되는 것이다. 지나친 사교육비와 낮은 출산율, 준비 없는 노후. 이 모든 것은 하나로 연결되어 있다.

완벽한 엄마, 완벽한 아내, 완벽한 며느리가 되어야 한다는 생각을 내려놓자. 모든 것을 내가 해야 한다는 생각도 내려놓자. 어느 하나 내려놓는 것이 쉽지 않다. 놓아버리는 것이 힘들 때마다 문제의 본질이 무엇인지 생각해보자. 아이들에게 끼니마다 정성스럽게 음식을 해야 한다는 생각을 내려놓기가 어렵다면 '밥상머리 교육'이 과연 무엇을 위한 것인지 생각해보면 된다. 영양소 가득한 식단으로 차려진 식사도 당연히 중요하다. 하지만 아이들에게 가장 중요한 것은 식사를 함께하면서 대화하고 친밀감을 느끼는 시간을 갖는 것이다. 식사 준비와 치우는 시간에 밀려 아이들과 편안하게 대화하는 시간이 줄어드는 것이 과연 현명한 것인지 생각해보자. 본질을 파악하는 습관을 들이면 붙잡고 있던 집착을 내려놓을 수 있다.

시간의 가치가 나의 가치를 결정한다. 내가 잘할 수 있는 것에 집중하여 나의 가치를 높이고, 시간을 잡아먹고 스트레스를 주는 것들은 과감하게 내려놓자. 아이들을 보살피고 살림을 하고, 남편을 내조하는 것이 내 몫이라는 것만 내려놓아도 나의 가치를 올리기 위한 투자의 시간을 확보할 수 있다.

결혼, 가사와 육아 문제를 나를 중심으로 재배치해 보자. 나의 꿈을 지지해주는 사람을 만들고, 나의 시간을 최대한 활용할 수 있는 방법으로 가사와 육아를 분담해야 한다. 모든 사람에게 유일하게 공평한 것은 매일 주어지는 24시간이다. 시간을 어떻게 활용하느냐에 따라서 나의 미래는 결정된다. 지금껏 당연하게 생각했던 것을 다 내려놓고 시간의 계획표를 다시 짜 나의 가치를 높이는 사람이 되자.

07

애인보다 꿈 친구가 좋다

저녁 10시만 되면 엄마와 아이들의 전쟁은 시작된다. 안 자겠다는 아이와, 왜 안 자냐며 재우려고 하는 엄마. 엄마들은 유일한 행복의 시간을 누군가와 공유하고 싶지 않다. 월화 미니시리즈, 수목 드라마 스페셜, 주말 연속극 등 본방 사수를 외치며 이 시간만큼은 다른 누군가에게 양보하고 싶지 않건만 그런 엄마 마음을 알 리 없는 아이들은 잠자리에 들려고 하지 않는다.

왜 여성들은 나이가 들수록 드라마에 빠지는 걸까? 최근 나의 가슴을 설레게 했던 〈별에서 온 그대〉, 그리고 그전에 또 한 번 나의 마음을 뒤흔들었던 〈신사의 품격〉. 다시 생각해봐도 가슴이 떨려온다. 눈에서 레이저 나올 것처럼 드라마에 몰입하는 아내를 남편은 이해할 수 없고, 혼자이고 싶은 순간을 방해받는 아내는 옆에서 분위기 깨는 남편이 밉다.

여성들은 남성보다 감성적이다. 그래서 두근거림과 설렘을 느껴야 행복을 느낀다. 하지만 결혼을 하면서 남자 친구가 남편이 되고, 시간이 지나면서 내 아이의 아빠가 되었다. 아이가 태어나면서 그로 인한 행복은 잠시뿐, 변화 없는 일상 속에서 여자들은 누구의 엄마로, 누구의 아내가 되어 조연의 삶으로 사는 것에 지쳐간다. 하지만 드라마를 보는 순간만큼은 내가 여자 주인공이 된 것처럼 하늘에 둥둥 떠다니는 느낌을 받는다.

나도 저런 시절이 있었는데 하는 생각이 들면서 예전에 떨어지는 낙엽에도 가슴이 떨리던 그 순간을 다시 느낀다. 남자 주인공 같은 사람은 현실에 없다는 걸 알면서도 하루 1시간만은 두근거림과 긴장감을 느끼고 싶은 것이다. 나도 그렇게 드라마를 보며 대리 만족을 느끼고 꿈속에 남자 주인공이 나오기를 바라면서 부푼 가슴을 안고 잠이 들었던 적이 수없이 많다. 그런 나에게 드라마보다 더, 연애할 때보다 더 가슴을 뛰게 만드는 일이 생겼다. 바로 '꿈'이다.

학창 시절, 학교, 독서실, 집을 오가는 생활을 반복하면서 우리를 나아가게 했던 그 원동력은 바로 '낭만적인 대학생활'이었다. 햇살 따스한 봄날 드넓은 캠퍼스 푸른 잔디 위에 누워 책을 얼굴에 덮고 낮잠을 즐기고, 전공책 2권을 가슴에 품고 교정을 거니는 상상을 했다. 이미 대학생이 된 듯 상상을 하면 그 순간만큼은 가슴이 뛰었다. 연애 시절, 남자친구를 만나러 가기 전이면 오늘은 어떤 옷을 입고 갈지, 어디를 갈지, 오늘은 어떤 일이 있을지 상상하는 것만으로도 세상이 핑크빛으로 보이던 시절이 있었었다.

가슴 떨리던 그 시절의 공통점은 상상만 해도 즐거운 일이 있었다는 것이다. 하지만 지금 나의 현실은 가슴 떨릴 일보다는 가슴 터질 일이 더 많다. 가끔은 가슴이 덜컹 내려앉는 상황도 종종 온다. 즐거운 상상보다는 혹시나 하는 마음에 걱정되는 일이 더 많은 현실을 살아가고 있는 것이다. 눈앞에 닥친 가슴 답답한 현실을 이겨내는 것조차도 버거운 현실 속에서 가슴 떨리는 미래를 상상하는 것은 사치스러운 일이다.

다시 가슴을 설레게 하자. 가슴이 두근거리고 꿈에 다가가는 삶을 살아가고 있는 것만으로도 환희에 찬 아침을 맞이할 수 있다. 그런 꿈을 찾게 된다면 애인이 없어도 드라마를 보지 않아도 행복한 하루를 보낼 수 있다.

결혼 후 많은 여성들이 우울증에 빠지는 이유는 목표를 상실했기 때문이다. 살아가는 이유가 '나'가 아닌 '아이'와 '남편'이 되어버렸다. 나와 관련된 모든 것이 순위에서 미뤄졌다. 우울증은 '과거의 꿈이 많은 나'와 '현재의 나의 모습'과의 괴리감만큼 생긴다. 그 거리감이 커질수록 우울함의 깊이도 커진다. 내가 원했던 30대는 이것이 아닌데 하는 생각이 자라서 우울함으로 성장하는 것이다. 20대에 꿈이 많았더라면 지금의 현실이 만족스럽지 않을수록 우울감은 커질 것이다. 그럴수록 바로 지금의 자리에서 바뀌어야 한다. 지금 아무것도 하지 않고 30대를 보낸다면 40대 이후에 오는 우울감은 더 커질 것이기 때문이다.

오랫동안 잊고 지낸 꿈을 찾아 나서 보자. 꿈을 찾고 그 꿈을 향해 함께 걸어갈 '꿈 친구'를 찾아보자. 주변을 당장 둘러보면 꿈을 이야기하는 사람은 없을 것이다. 꿈이 없는 엄마와 선생님이 아이에게 꿈을 이야기하는 아이러니한 상황만이 있을 뿐이다. 꿈이 있는 사람들은 꿈으로 하루를 살아간다. 그들은 꿈으로 한 걸음 다가서는 하루를 살기 때문에 그냥 하루를 보내는 사람들의 눈에는 보이지 않는다.

꿈을 이야기하는 사람들을 가까이 해야 한다. 꿈을 꾸는 사람을 가장 쉽게 찾을 수 있는 방법은 '책'이다. 책을 읽다 보면 잊었던 꿈이 찾아진다. 꿈을 찾아가는 사람들도 만날 수 있다. 인터넷 카페일 수도 있고 동호회일 수도 있다. 강연장일 수도 있고 무언가를 배우는 학원일 수도 있다. 지금 있는 곳에서 벗어나 꿈을 향해 살아가는 사람들이 있는 곳으로 나의 활동 무대를 옮겨야 한다.

부모들은 아이에게 공부 잘하는 아이와 어울리기를 원한다. 하지만 아이에게 자신보다 공부 잘하는 아이와 어울리라고 강요하기 전에 스스로의 모습을 한번 돌아보자. 나는 과연 나보다 나은 사람과 어울리고 있는 걸까?

어느 날 지인이 나에게 하소연을 했다.

"왜 내 주변에는 이렇게 잘 안 풀리는 사람들만 있는 건지 모르겠어."

나는 속으로 대답했다.

'네가 너보다 못한 사람하고만 어울리니까 그렇지.'

수년간 옆에서 지켜본 바에 의하면 그녀는 자신보다 나은 사람들과 어울리지 못했다. 전문직 직업의 남편을 가진 친구를 보면 공부는 나보다 못했으면서 결혼으로 인생을 바꾸었다며 비꼬아 생각을 했다. 자신보다 학벌이 좋은 사람이 주부로 지내는 것을 보면 좋은 대학 나와 봐야 다 필요 없다며 뒤에서 수군댔다.

누구나 이런 마음을 조금씩 가지고 살아가고 있다. 나 또한 그랬으니 말이다. 나보다 넓고 좋은 집에서 사는 사람을 보면 다 잘난 부모 잘 만나서 호강한다고 생각했다. 비싼 영어유치원을 다니는 아이를 보면, '한글도 떼기 전에 영어부터 가르치는 건 안 좋다는데' 하며 부정적으로 생각했다. 내 처지가 안되서 못하는 것을 인정하고 싶지 않아 그들을 부정적으로 바라보았던 것이다.

하지만 꿈 친구들을 만나게 되면서 나이, 성별, 지역, 직업 등을 막론하고 서로에게 힘이 되어주는 응원군이 되었다. 결혼하고 나면 아이들을 제외하고는 '사랑한다'는 말을 하지 않는다. 하지만 꿈을 가진 친구들끼리는 '사랑합니다, 존경합니다, 응원합니다'라는 말을 해줌으로써 긍정적인 생각을 많이 하게 되었다.

꿈이 있는 곳에는 롤모델도 있고 멘토도 있다. 나보다 어려도 존경의 마음을 갖게 되고, 같은 여자여도 사랑하는 마음이 생긴다. 누군가처럼 되고 싶다는 생각은 열정을 만들고 누군가에게 힘이 되어주고 싶다는 생각은 긍정에너지를 생기게 한다. 책을 쓰다가 지쳐서 힘들어 하면, 주변 사람들은 나에게 이렇게 이야기한다.

"그러길래 책을 아무나 써? 처음부터 안 되는 거라고 그랬잖아. 누가 네가 쓴 책을 읽어? 어느 출판사가 너 같은 초자랑 계약을 하겠어? 괜히 돈 쓰고 시간 낭비하지 말고 지금이라도 정신 차려."

하지만 꿈 친구들은 나에게 이렇게 이야기 한다.

"작가님은 할 수 있어요. 누구나 그때쯤 다 힘들어요, 하지만 이겨내실 거잖아요. 이겨내시면 정말 멋진 책이 나올 거예요."

이런 말을 들으면 가끔 눈물이 핑 돌기도 하고 고맙기도 하고, 또 힘도 난다. 그래서 꿈을 이루면서 비슷한 사람들과 어울리게 되는 것이다.

최고의 요리사 옆에는 잘 먹어주는 응원자가 있다고 한다. 처음부터 요리를 잘하는 사람은 없었을 것이다.

"지난번보다 훨씬 좋아졌어. 한 번만 더하면 정말 맛있겠는걸? 역시 당신은 손재주가 있어. 어떻게 한 번에 이 정도 맛이 나와?"

맛없는 요리에도 이렇게 이야기해주는 응원자는 최고의 요리사를 만든다.

"이게 음식이야? 재료가 아깝다. 다음부터는 이거 하지 마. 당신은 요리사가 될 생각은 꿈도 꾸지 마!"

주변의 이런 반응은 타고난 재능의 요리사도 평범하게 만들어 버릴 것이다.

"괜한 짓 해서 시간 낭비했구나. 난 역시 뭘 해도 안 돼. 할 수 있는 게 아무것도 없어. 난 왜 이 모양일까?"

하지만 이런 대화가 일반적인 것이 우리가 살아가는 현실이라는 것이 가슴이 아프다. 그렇기 때문에 다시 가슴을 뛰는 꿈을 찾고자 한다면 우선 내 주변의 사람들부터 바꾸는 것이 필요하다.

꿈에는 에너지가 있다. 전염성도 있다. 장미향이 나는 방 안에 오래 있다 보면 어느새 코의 감각이 마비되어 그 향기가 느껴지지 않고, 생선 비린내가 지독하게 싫어도 시간이 지나면 어느새 익숙해져 버린다. 나의 코가 적응을 해버리는 탓이다. 꿈이 없는 사람과 함께 지내다 보면 꿈 없이 살아가는 것이 당연하게 느껴진다.

그러나 꿈이 있는 사람들 속을 들어가 보면 꿈 없이 사는 것이 불가능하게 느껴진다. 꿈을 이야기하는 사람들의 단어는 현실을 이야기하는 사람들과 쓰는 단어가 다르다. 부정적이거나 누구를 탓하고, 불가능을 이야기하지 않는다. 사랑을 이야기하고 희망을 이야기하고 존경을 이야기한다.

처음에는 그 분위기가 어색하고 낯설다. 지독한 장미향기처럼 부담스러울 수 있다. 하지만 꿈 친구들의 열정과 긍정적인 마인드에 적응해 버리면 꿈 없이 어떻게 살았는지 기억조차 나지를 않는다. 과거에 내가 어울리던 사람들과 오랜만에 만나면 농담으로 시간을 보내고, 다른 사람들 험담을 하고, 남의 허물을 크게 이야기하는 모습이 갑갑하게 느껴진다. 숨이 턱턱 막히면서 어서 그 자리를 떠나고 싶은 생각뿐이다. 물론 그 친구들에게는 꿈을 향해 나아가는 모습이 좋아 보일 리 없다. 과거에 내가 꿈을 가진 사람들을 이해하지 못했듯이 말이다.

'누구와 가장 많은 시간을 보내는가?'

'어떤 책을 읽는가?'

'어떤 이야기를 하는가?'

이 3가지를 보면 그 사람의 미래를 알 수 있다고 한다. 내가 되고자 하는 길을 먼저 간 사람들로 내 주변을 채우고 그들과 이야기를 나누는 것만으로도 미래는 바뀔 수 있다. 지금까지 살아온 방식으로 삶이 나아지지 않았다면 꿈 친구들로 주변을 채워보자. 그들이 뿜어내는 향기에 젖어들 때 나도 꿈을 꾸고 꿈을 이루는 사람이 될 것이다.

08

노는 물을 바꿔라

얼마 전 남편과 함께 조그만 음식점을 오픈한 친한 언니의 가게에 놀러 갔다. 결혼하고 각자 아이를 낳으면서 아이들 키우고 사느라 정신이 없어 한참을 못 보다가 오랜만에 만나게 되었다. 언니와 오랜만에 그동안 살아온 이야기를 하는데 참 재미있는 점을 발견했다. 그 언니의 신랑은 직장을 다녀본 적이 없고 계속 자영업을 했단다. 동네에서 친하게 지내시는 분들이 모두 커피숍을 하거나 유통업 등 개인 사업을 한다는 것이다.

그리고 신랑과 나는 직장인이다. 나의 주변에는 자영업이나 자기 사업을 하는 사람이 없다. 대부분 회사원이거나 공무원, 교사 같은 직종이었다. 언니와 그 이야기를 하면서 참 사람은 끼리끼리 논다며 웃었다.

아이들도 그렇다. 큰아이가 학교에 들어가 사귄 친한 친구들은 대부분 맞벌이하는 집이었다. 나도 일을 하다 보니 집에서 살림하는 사람보다는 맞벌이를 하는 사람들과 왕래를 많이 하는 편이다. 그래서 아이들의 친구도 대부분 맞벌이를 하는 부모를 두고 있는 경우가 많다. 왠지 전업주부인 아이들의 엄마는 맞벌이하는 우리 아이와 못 놀게 할 것 같은 생각에 비슷한 처지의 맞벌이 가족과 어울리게 된다. 평일에도 친구들과 늦게까지 어울려 노는 아이들에 비해, 맞벌이 가족의 아이들은 엄마가 저녁에 퇴근해서 저녁 먹고 씻고 잠들기 빠듯했기 때문에 저녁 늦게까지 노는 것이 불가능하기 때문이다.

처지가 다른 사람과 어울리기 위해서는 시간을 맞추고 서로의 입장을 이해하기 위해 노력해야 되지만, 비슷한 사람들과는 편하게 어울릴 수 있다. 여성들은 30대가 되면 육아와 일, 살림으로 빠듯한 24시간을 보내게 된다. 그렇다 보니 사람들과 어울릴 여력이 없고, 그 필요성도 느끼지 못한다. 그래서 처지가 비슷한 사람들하고만 관계를 유지할 뿐, 인간관계를 확장시키는 것이 쉽지 않다.

회사와 집안 살림, 육아 그리고 이제는 초등학교 아이 숙제에 치여 '내가 왜 이러고 사나?' 하는 생각이 들 때가 있다. 그때 주위를 둘러보면 나와 비슷비슷한 사람들이 다 그렇게 살고 있다. 아침마다 아이들과 출근 전쟁을 치르고, 퇴근하자마자 저녁식사를 마치고 엉망이 된 집을 정리하고 쓰러지듯 잠자리에 든다. 주말은 늦잠으로 다 보내고 가끔 하는 외식으로 위안을 삼는다.

'다들 그렇게 사는데 뭐. 사는 게 별거 있나?'라고 생각하며 다시 일상으로 돌아간다. '과연 이게 맞는 걸까?'라는 의심보다는 '이게 맞을 거야. 내가 잘하고 있는 거야'라며 스스로를 위안할 수 있는 이유는 주변이 다 거기서 거기인 사람들로 채워져 있기 때문이다.

예전에 EBS에서 했던 실험이 생각났다. 실험자 한 명과 준비된 사람들 4명이 함께 같은 문제를 푸는 것이다. 문제는 아주 쉽다. 3가지 보기 중에서 가장 긴 선을 찾는 것과 같이 6살짜리 아이도 풀 수 있는 아주 단순한 문제다.

5명이 순서대로 답을 이야기하는데 실험자는 가장 마지막에 대답하게 되어 있었다. 첫 번째 문제의 정답은 누가 보아도 3번이었다. 하지만 앞선 4명은 너무나도 당연하다는 듯이 2번이라고 답했다. 자신의 순서가 돌아온 실험자는 크게 당황하는 듯했다. 혼란스러워 보였고 망설이는 듯했지만 소신껏 3번이라고 답을 말했다.

두 번째 문제가 나왔다. 첫 번째와 같이 너무나도 쉽고 답이 명확한 문제였다. 역시 앞선 네 명은 틀린 답을 이야기했고 실험자의 순서가 돌아왔다. 머뭇거리더니 결국은 본인의 생각하는 답을 말하지 않고 앞선 사람들의 답을 따라서 대답했다. 세 번째 문제부터 그는 아예 생각하거나 망설이지도 않고 답이 맞든 틀리든 상관없이 앞사람들을 따라 답을 말했다.

우리는 살아가면서 많은 선택의 기로에 놓인다. 인생의 선택지 중에서 한 가지를 골라야 했을 때 혹시 이와 같지는 않았을까? 나는 분명히 그게 아니라고 생각하는데 주변 사람들이 무엇을 선택하는지 곁눈으로 보고 슬그머니 정답을 바꾸곤 한다. 분명히 내가 알던 것이라는 확신은 어느새 '내가 잘못 알고 있었나?' 하면서 헷갈리기 시작한다.

이렇게 소신은 점점 사라진다. 내가 생각하는 것을 당당하게 내세우기 전에 주변을 둘러보며 같은 생각을 하는 사람이 있는지 두리번거리게 된다. 나의 의견에 동의해 주는 사람이 없으면 불안감을 느낀다. '혼자 틀리면 어떻게 하지?' 하는 생각에 나의 생각은 접고 다수를 따르게 된다. 그리고 집단에 속해서 얻는 편안함에 안도하게 된다. 진실은 묻혀버리고 거짓이 진실처럼 둔갑되는 것은 순간이다.

'꿈을 갖고, 목표를 향해 가는 길에 있는 시련은 이겨 내고 최선을 다할 것!'

이것이 살아가는 방법에 있어 '정답'이라는 것은 다 알고 있다. 하지만 앞사람을 보니, 적당히 현실과 타협해도 잘 살아가고 있다. 옆 사람을 보니 그도 나랑 비슷한 것 같다. 이렇게 살아도 가끔 소소한 행복도 느껴지는데 이것마저 잃어버리면 안 될 것 같은 불안감에 다시 안정을 찾아 안주하게 되는 것이다. 정답이 어느새 남들처럼 적당히 사는 것으로 둔갑해 버린 것이다.

그렇다면 이 실험에서 실험자가 정답을 말할 수 있는 방법은 무엇일까?

그것은 실험자 외에 정답을 말하는 사람이 한 명 더 있는 것이다. 한 명이라도 정답을 말해주는 사람이 있다면 더 많은 사람이 오답을 말해도 실험자는 본인이 생각하는 정답을 이야기할 수 있다. 나와 같은 생각을 하는 사람이 한 명이라도 있다는 것이 큰 힘이 되기 때문이다.

다시 말해 내가 가고자 하는 방향을 찾았다면 그 방향을 찾아 움직이는 사람들 속으로 들어가야 한다. 나를 둘러싸고 있는 사람들이 이끄는 곳으로 흘러가지 말고, 내가 하고자 하는 것을 이미 하고 있는 사람들 속으로 들어가야 원하는 결과를 얻을 수 있다.

자기계발을 위해 하루 30분 독서를 결심했다고 하더라도 매일 아침 30분 일찍 눈 뜨는 것은 쉽지 않다. 그때 나의 주변 사람들은 이렇게 이야기한다.

"무엇하러 피곤하게 일찍 일어나서 책을 읽어? 책 읽는다고 뭐가 해결돼? 낮에 피곤하다고 그러지 말고 그냥 잠이나 자. 자는 게 남는 거야."

이런 말을 듣다 보니 맞는 것 같기도 하다. 아침에 일찍 일어나 책 읽는다고 하루아침에 효과를 볼 수 없다. 습관이 되기 전까지 낮에도 비몽사몽하고, 책의 내용도 머릿속에 들어오지 않다 보니 그 이야기가 맞는 것 같은 생각이 든다. 그러다 아침에 일찍 일어나 독서의 습관을 갖겠다는 결심은 흐지부지 되곤 한다.

그럴 땐 하루 30분 독서로 당신의 미래를 바꿀 수 있다고 말해주는 사람이 있는 곳으로 가야 한다. 꼭 공간을 옮겨야 하는 것은 아니다. 결심이 흐지부지해질 때마다 《하루 30분 독서의 힘》과 같이 독서의 중요성을 알려주는 책을 읽거나, 책을 읽는 인터넷 카페에 가입할 수도 있다. 카페에서는 새벽 독서를 위해 '출첵'을 하거나, SNS 등에서는 아침 독서를 실천하기 위해 서로 응원하는 여러 가지 방법을 시도하고 있다. 이들과 정보를 공유하고 소통하다 보면, 주변에 독서를 하고자 하는 의지를 가진 사람들이 많다는 것을 알게 되고 나도 함께 해보고 싶다는 에너지가 생긴다.

2010년 슈퍼스타 K에 도전했던 김소정 씨, 그녀는 특유의 깜찍 발랄한 외모와 카이스트 출신이라는 이유 때문에 많은 사람들로부터 관심을 받았다. 카이스트를 졸업하고 가수로 데뷔하기 위해 연습하던 시절, 그녀에게 슬럼프가 찾아왔다. 솔로로 활동하다 보니 잘하는 것보다는 못하는 것이 더 신경이 쓰였고 점점 의기소침해지기 시작했다.

카이스트라는 스펙으로 많은 사람들의 관심을 받고 화려한 출발을 한 것이 잘해야 한다는 압박감으로 돌아와 그녀를 짓누르기 시작한 것이다. 무대를 마치고 내려왔을 때의 반응이 두려워 스스로가 압도당했다. 급기야는 무대에 서는 것이 무서워졌고, 무대에 올라서는 빨리 노래가 끝나기만을 바라며 겨우 노래를 마쳤다. 끝없는 슬럼프의 시작, 그녀는 어떻게든 빠져나오려고 애썼다. 무언가를 바꿔야 한다고 생각했다. 그래서 선택한 것이 다른 사람들과 함께하는 연습이었다.

개인 레슨에서 학원을 다니며 연습하기 시작했다. 함께 연습하는 사람들과 이야기하고 서로의 고충을 이야기하는 과정에서 에너지가 생겼다. 다시 잘할 수 있을 거라는 생각도 들었다. 가수라는 같은 꿈을 가진 사람들과 꿈을 공유하고 연습하면서 시야가 넓어지고 마음이 차분해지는 것을 느꼈다.

누구나 성장하는 과정은 외롭고 힘들다. 혼자하기에는 막막하고 두렵다. 그럴 때 나와 같은 상황에서 우직하니 앞으로 나아가는 사람들과 함께하는 것은 그 어떤 것보다 든든한 의지가 된다. 나보다 어려운 상황에서 더욱 열심히 연습하는 사람을 보면서 다시 일어서고, 끝이 보이지 않는 터널과 같은 시간 속에서 길을 찾아 꿈을 이룬 사람들을 보며 희망을 꿈꾸기도 한다. 그리고 무엇보다도 '너는 할 수 있어'라고 말해 주는 사람들과 함께하는 것은 그 어떤 것보다 힘이 된다.

많은 부모들이 아이가 자신보다 공부를 더 잘하는 친구를 사귀기를 원한다. 하지만 많은 부모들이 아이들 교육에 있어서 환경의 중요성을 강조하면서 자신들의 환경을 바꿀 생각은 하지 못한다.

당신이 성장하고 있지 않다면 지금 당신을 둘러싼 환경은 더 나은 미래를 보장해 줄 수 없다. 미래를 바라보고 성장하는 사람들로 내 주변을 바꾸어보자. 노는 물을 바꿔주는 것만으로도 꿈의 반을 이루었다고 할 수 있다. 그들의 습관을 따라하려고 노력하다 보면 나의 모습은 조금씩 바뀔 것이고, 어느새 내 주변에는 나와 함께 꿈을 공유하는 사람만 있게 된다.

chapter 4

멀리 보는 연습을 하라

01

멀리
보는 연습

딸아이가 초등학교에 입학을 했다. 딸아이 학교 첫 공개수업이 있는 날 대부분의 학부모가 학교를 찾았다. 공개수업을 마치고 엄마들과 티타임을 갖게 되었다. 절반이 넘는 사람들이 워킹맘이었다.

처음 만나는 사람들이었지만 아이들이 같은 반이라는 공통점은 수많은 수다들을 오가게 만들었다. 그중에 알게 된 한 엄마는 아이가 1학년에 입학을 하니 정말 회사를 그만두고 싶은 마음이 하루에도 열두 번은 더 든다고 했다. 지금껏 친정 엄마의 도움으로 직장생활을 하면서 아이를 키웠는데, 아침마다 '엄마, 회사 안 가면 안 돼?' 하는 아이의 애절한 눈빛에 매일 흔들린다는 것이다. 제일 힘든 시기는 지났는데 지금 관두면 아깝다는 생각에 매일 참고 출근을 한다는 그녀의 말이 남 이야기 같지가 않았다.

직장인들에게, 특히 육아를 병행하는 워킹맘들에게 아이의 초등학교 입학은 출산과 비슷한 큰 전환점이 된다. 어린이집보다 빠른 하교는 아이들을 학원으로 내돌리게 한다. 어둑어둑해진 후 엄마와 함께 퇴근하는 8살짜리 아이를 바라보면 괜스레 미안해서 눈시울이 붉어질 때가 한두 번이 아니다. 나 또한 8살 딸아이를 위해 휴직 중이지만, 다시 회사로 돌아갈 생각을 하면 발길이 떨어지지 않는다. 아이들 때문에 회사를 퇴직할 생각도 많이 했었다. 주변에서는 왜 그렇게 아까운 자리를 관두냐며 말리지 못해 안달이었다. 그럴 때마다 생각했다.

'그래, 어떻게 들어갔는데 지금 관두면 나중에 후회할 거야. 나중에 아이들도 일하는 엄마를 더 자랑스러워 할 거야. 지금만 버티면 돼. 그래 버티자. 30대 중반의 나이에 아이가 둘이 있는 아줌마가 이 정도 직장이면 괜찮은 거야. 나중에 마흔 넘으면 이런 데서 나를 뽑아 줄 리가 없잖아?'

이런 마음으로 우는 아이를 떼놓고 억지로 다녔다. 하지만 아이가 초등학교를 입학하니 내가 좋아서 선택한 일이 나와 아이의 사이를 갈라놓는 방해꾼으로 보였다. 출산은 나의 몸과 함께 직장을 대하는 나의 마음까지도 바꿔버렸다.

초등학교를 졸업하고 중학교를 가듯이 나에게 있어 직장이란 대학을 졸업하면 당연히 들어가야 하는 곳이었다. 아버지의 사업 실패를 경험한 나로서는 자영업이나 창업은 아무나 할 수 없는 것이라는 등식이 성립해 있었다. 대학 시절 학비를 벌기 위해 아르바이트를 했던 식당은 꽤 큰 규모였음에도 불구하고, 사장님은 자식들에게 좋은 직장을 들어가야 한다며 강조했다. 그 모습을 바라본 나는 이렇게 큰 식당을 하는 것보다 좋은 직장에 들어가는 것이 훨씬 성공하는 삶이라고 무의식중에 받아들였고, 성공은 어느 회사를 들어가느냐에 따라 달라지는 것이라고 믿게 되었다.

부모님이 사회에 진출하던 그 시기는 과거에 급제하듯이 번듯한 직장에 들어가는 것만으로도 미래가 보장되었다. 가장 한 명이 벌어 오는 월급으로 4인 가족은 넉넉히 살 수 있었고, 집 장만에서부터 자식들의 대학교육까지 시킬 수 있었다.

한 세대가 흘러 멈춰버린 경제 성장은 가장 혼자서는 4인 가족의 생계를 꾸릴 수 없게 만들었다. 하지만 우리가 가지고 있는 직장에 대한 의식은 변하지 않았다. 불안한 노후를 위한 유일한 방법은 조금 더 나은 직장이고, 대학은 그곳에 들어가기 위한 관문으로만 여겨지고 있다. 스펙 쌓기에 열을 올리고 있는 대학생들의 목표는 대기업, 공기업, 공무원이다.

아이러니하게도 그렇게 어렵게 들어간 직장은 딱 3년만 다니면 아침마다 눈 뜨는 것이 싫어지고, 출근하지 않을 핑계를 찾게 만든다. 특히 워킹맘들은 출근할 때마다 울면서 매달리는 아이를 떼어 놓고 나오면서 함께 울고, 어린이집에서 연락이 올 때마다 죄인이 된다. 직장에서 퇴근함과 동시에 집으로 출근하는 생활을 몇 년 하다 보면 승진이나 명예 욕심은 사라지고, 토요일을 손꼽아 기다리는 생활이 반복된다.

매달 나오는 월급으로 카드값을 메우면서 때려치울 수도 없는 현실을 원망하지만 내가 할 수 있는 것은 내일도 출근하는 것뿐이다. 꿈이 없고 미래가 없는 직장은 나에게 카드값을 메우고, 아이 학비를 대주는 곳에 불과해져 버렸다.

나 역시도 지금의 회사를 들어가기 위해 수없이 많은 밤을 지세고, 여러 번의 시험을 보면서 합격하기만 하면 세상을 다 가질 수 있을 것만 같았다. 운 좋게도 한 번에 합격하여 꿈에 그리던 관제사가 되었다. 그토록 원했던 일을 직업으로 가졌기에 매일 출근하는 것이 행복했다. 하늘의 안전을 책임진다는 뿌듯함으로 밤샘 야근도 거뜬히 해냈다. 매일 예측할 수 없는 변수 속에서 긴장감이 연속되는 일은 지루하지 않고 항상 신선한 자극을 주었다. 매일 비행기를 바라볼 수 있어서 행복했고 천직이라 생각했다.

하지만 내가 원하는 일을 하려면 80%의 좋아하지 않는 일도 해야 했다. 승진으로 인해 동기들 간에 거리가 생기고, 조직사회 속에서 어쩔 수 없이 부딪힐 수밖에 없는 벽을 매일 마주했다. 회사는 일만 하는 곳이 아니라 사람과 관계하는 곳이었고, 시간이 지나면서 일에 대한 열정은 서서히 사라지기 시작했다.

그런 나의 혼란은 결혼과 육아로 인해 절정에 이르렀다. '내가 과연 이 일을 사랑하는 걸까?', '이것이 정말 내가 원하는 것일까?', '천직이라고 생각했던 이 일이 정말 내게 맞는 일일까?'라는 생각을 수백 번도 넘게 했다. 그렇게 육아라는 신세계를 경험하면서 처음으로 그동안 결코 놓지 않으리라 다짐했던 것을 놓을 수도 있다는 생각을 하게 되었다. 절대 한 번도 관제사가 아닌 나를 상상할 수 없었지만 혹시 그럴 수도 있다는 생각을 하게 된 것이다.

그러자 나의 내면의 소리에 귀를 기울이게 되었다. '내가 관제사를 관두면 무엇을 할 수 있지?', '내가 잘하는 것이 무엇일까?', '나의 재능은 무엇일까?', '나는 어떤 것을 할 때 행복하지?' 이렇게 내면의 나와 대화하는 시간을 갖게 되었고 진정으로 행복한 일이 무엇인지 찾아보기 시작했다. 그 길을 찾기 위해 책을 읽게 되었고, 세상을 바라보는 다른 눈을 가지려고 노력했다.

대부분의 사람들이 어떤 일을 하는지보다 어느 곳에서 일하는지를 더 중요하게 생각한다. 전공이 무엇인지보다 어느 학교에 다니는지를 더 중요하게 생각을 하듯이 말이다. 그래서 수많은 20대들이 대기업에 입사하고 공무원이 되기 위해 수년간 취업 입시에 매달린다.

하지만 알아야 할 것이 있다. 대기업과 같은 대규모의 조직사회는 시스템으로 돌아가는 곳이다. 그곳에서 일하는 직장인들은 시스템 안에 소속된 하나의 부속품 같은 존재이다. 회사는 부속품 규격에 맞는 사람을 고용하고 부속품의 역할에 맞는 일이 주어진다. 오래된 부속품은 바꿔주어야 하듯이 매년 신입사원을 뽑고, 새로운 사람들로 교체된다. 내가 관둬도 나를 대신할 사람이 들어오면 아무렇지도 않게 돌아가는 시스템을 가지고 있는 곳이 '직장'인 것이다.

일개의 부속품이 되기 위해 죽어라 공부하고, 죽어라 일하고 있다고 생각하니 섬뜩했다. 나 하나쯤 사라져도 아무렇지 않게 돌아갈 시스템을 가지고 있는 곳을 위해 이렇게 아등바등 살아가고 있었다니. 이제는 바뀌어야 할 때임을 직감적으로 느꼈다. 사회와 회사가 바뀌지 않는다면 내가 바뀌어야 했다.

직장이나 회사가 나쁘다고 이야기하는 것은 아니다. 직장에 목을 매지 말라는 것이다. 남들이 만들어 놓은 판에 들어가서 누군가가 나를 옮겨 주기를 기다리지 말고, 스스로 판을 짤 줄 알아야 한다는 것이다. 내가 없으면 안 되는 '판'을 짜야 한다. 물론 쉽지 않다. 해본 적도 없을 것이다. 하지만 과거와는 다른 세상 속에서 '직업'을 바라보는 패러다임을 바꾸지 않으면 평생 남이 짜놓은 판에서 이리저리 옮겨 다니는 신세를 면할 수 없다.

회사는 당연히 다니는 것이고 안정적인 직장이 성공한 것이라고 여겼다면, 이제는 불안정한 미래를 주도적으로 사는 것이 진정한 성공이라고 생각해보자. 바람에 몸을 맡겨 이곳저곳을 기웃거리는 돛단배가 아니라, 파도를 거슬러 목적지를 향할 수 있는 배가 되어야 한다. 몰아치는 파도를 넘어가기만 급급한 직장인의 삶을 벗어나, 파도를 가르며 나아가는 프로가 되어야 할때다.

내가 어떤 일을 할 때 가슴이 뛰고, 신이 나며, 시간이 가는 줄 모르는지 찾아보자. 지금 당신이 일하는 곳은 그것을 알아내기 위한 곳이다. 수동적으로 출퇴근하지 말고, 직장에서 마주치는 모든 순간에 의미를 찾아보자.

내가 어떤 일에 즐거워하는지, 어떤 상황을 못 견뎌하는지, 내가 어떤 일을 할 때 가슴이 뛰는지 찾을 수 있는 기회가 열린 곳이 직장이다. 일을 하면서 나의 달란트를 찾는 기회가 주어졌다고 생각하면 어제 있었던 느낌과는 또 다른 느낌으로 일할 수 있을 것이다.

삶의 목표가 직장이 되면 언젠가 멈출 수밖에 없다. 그 직장에 들어가더라도 목표를 달성해서 멈추는 것이고, 들어가지 못하더라도 포기해서 멈출 수밖에 없다. 고인 물은 썩는다. 진짜 나를 찾는 연습을 하고, 직장에서 박수 칠 때 떠날 준비를 하자.

02

지나온 길에 흔적을 남겨라

법륜 스님이 처음 '정토회'를 시작했을 때 그를 보고 온 사람은 한 사람도 없었다. 그가 모시고 있던 노스님의 명성으로 첫날 30여 명이 모였고, 법륜 스님이 강의를 시작하자 3명만 남고 다 나가버렸다. 3개월간 진행되는 프로그램이었는데 다음 주에는 그 3명 중 단 1명만이 참석을 했다. 법륜 스님은 당황스러웠지만 남은 3개월 동안을 그 한 명이 100명이라고 생각하고 열심히 준비하고 강의했다.

3개월 과정이 끝나고 다시 새로운 3개월의 과정을 시작할 때 그 1명이 5명을 데리고 왔고, 그렇게 조금씩 늘어난 것이 정토회의 시초가 되었다. 사람들은 지금의 정토회를 보면서 초기 이러한 어려움이 있었는지 상상도 못할 것이다. 하지만 이렇게 어려운 시기가 있었기에 지금의 안정적인 기반을 마련할 수 있었다고 한다.

사람들은 타인의 성공을 부러워한다. 하지만 그 과정에는 관심이 없다. 어떤 성공도 처음부터 쉬웠던 것은 없다. 성공 스토리의 깊이는 그들이 걸어온 흔적과 비례한다. 시작할 때 아무것도 없고 과정의 굴곡이 심할수록 그들의 성공 스토리는 더욱 빛이 난다.

1957년 포천에서 태어난 인순이. 그녀는 한국인 어머니와 주한 미군으로 근무하던 아프리카계 미국인 아버지 사이에서 태어났다. 당시는 외국인이 흔치 않던 시기라 짙은 피부색과 갈색의 눈동자 때문에 그녀는 차별과 소외 속에서 자랐다. 남들 앞에 나서는 것을 두려워했던 그녀는 어려운 가정 형편 때문에 돈을 벌기 위해 노래를 시작했다. 1978년 걸 그룹 '희자매'로 데뷔했고, 출중한 댄스 실력과 파워풀한 가창력으로 눈길을 끌었다. 그러나 시간이 지날수록 사람들은 그녀의 실력보다는 흑인 혼혈이라는 것을 더 오래 기억하였다.

20대의 화려한 데뷔와 30대의 공백기로 그녀는 잊혀져가는 듯했으나 2004년 조PD와 발표한 '친구여'로 제2의 전성기를 누리게 되었다. 50세가 넘은 나이에도 핫팬츠와 미니스커트로 열정적인 공연을 보여주는 그녀는 세대를 막론하고 '영원한 디바'라고 불린다. 굴곡 많은 인생만큼이나 쌓인 그녀의 내공은 바라보는 사람들에게 '나도 나이 들어서도 그녀처럼 열정적이고 싶다'는 생각을 하게 한다.

한국인 최초로 카네기 홀에서 두 번의 콘서트를 하였고, 두 번째 콘서트는 이례적으로 이틀간 이어졌다. 두 번째 공연의 마지막 날에는 한국전쟁 참전 용사들이 초대되었고, 그들 앞에 그녀는 이렇게 이야기했다.

"혹시라도 남자이기 때문에 한국에 혹시 나 같은 자식이 있을지 모른다고 생각하시는 분들, 그것 때문에 가슴에 돌을 얹고 계신 분들이 있다면 이제는 내려놓으세요. 다들 자신의 인생에서 최선을 다해 살아가고 있습니다. 여러분은 모두 나의 아버지입니다."

인순이 씨는 아버지의 얼굴을 한 번도 본 적이 없다. 주한 미군이었던 아버지는 배 속에 있던 그녀와 어머니를 남겨두고 떠났다. 아버지에 대한 원망과 그리움은 평생의 한이 되었다. 데뷔 30년이 지나서 '아버지'라는 곡을 불렀고, 그녀의 애절함은 이 세상의 모든 딸들의 가슴을 울렸다. '아버지'라고 한 번도 불러본 적이 없는 그녀에게 이 노래를 부른다는 것은 너무나도 가혹한 것이었지만 결국 그녀는 이 노래를 부름으로써 가슴속의 짐을 덜어놓을 수 있었다. 당당히 맞서 극복한 그녀의 과거를 사람들은 '희망'이라고 부른다. 산이 높을수록 계곡이 깊듯 과거에 굴곡이 깊을수록 굴곡마다 많은 경험이 채워진다. 굴곡마다 채워진 경험은 나에게 더 높은 산에 오를 수 있는 힘을 준다.

한 고시생이 법륜 스님에게 고민을 이야기했다. 고시에 매달려 4년이란 시간을 보냈지만, 지금까지 공부한 것이 아까워 다시 도전을 하고 있다고 했다. 하지만 이번에도 안 되면 어떻게 하나 하는 생각에 조급증이 생겨 공부에 집중할 수가 없다고 했다. 그는 법륜 스님에게 그런 그의 마음을 다스릴 방법을 물어보았다. 스님의 해답은 간단했다.

"그 공부 올해까지만 하고 그만두세요. 미련을 남겨서 다시 할 생각을 하지 말고 올해가 마지막이라고 단단히 마음을 먹어보세요. 그렇게 했는데도 기대와 달리 결과가 안 좋게 나왔다면 그때는 두 손 탈탈 털어 버리세요."

만약 끝까지 도전했지만 합격하지 못했다면 많은 사람들이 실패의식에 사로잡혀 절망에 빠진다. 주변에서 바라보는 시선에 위축이 되기도 하고, 지금껏 뒷바라지해 주신 부모님 볼 면목도 없을 것이다. 거리를 나서면 사람들이 나를 알아볼 것 같고, 손가락질할 것만 같은 생각에 밖에 나가는 것조차도 두렵다.

하지만 그 5년을 인생에서 낭비라고 생각하지 말고, 돈 주고 못할 경험이었다고 생각해 보는 것은 어떨까? 최선을 다한 5년이라는 시간이 헛수고가 되느냐 살아온 내 인생의 전환점으로 맞이하느냐는 앞으로 내가 할 행동에 따라 달라진다. 앞으로 건강을 잘 관리해서 5년을 더 살면 손해 보는 것도 없다. 남들이 해보지 않은 경험을 했고, 도전해서 안 되는 것이 있다는 큰 교훈도 얻었다. 세상 앞에 나의 과거를 당당히 내 보여라. 내가 지나온 과거를 흔적으로 여기느냐, 실패로 여기느냐는 내가 나를 대하는 방법에 달려 있다.

모든 사람들은 비슷한 양의 과거를 가지고 산다. 성공한 사람들과 실패한 사람들의 차이는 자신의 경험들을 얼마나 잘 활용하느냐에 있다. 과거 경험이 보잘것없다는 생각에 거들떠보지도 않는 사람과, 잘못한 점은 반성하고 같은 실수를 저지르지 않겠다고 다짐하는 사람의 미래는 같을 수 없다. 과거를 후회할 때만 사용하지 말고 나아가야 할 방향을 결정하는 기반으로 활용한다면 보다 빨리 원하는 목적지에 도달할 수 있다.

어제 힘들었다고 오늘도 힘들 것이라는 생각을 미리 하지 말자. 어제 되지 않았던 것이 오늘 하면 될 수도 있다. 시도를 즐기고 경험을 행복해한다면 지나온 과거가 성공인지 실패인지는 중요하지 않다. 과거는 그저 더 나은 오늘을 살아가기 위한 과정일 뿐이기 때문이다.

03

차라리 절망에 기대고 싶어질 때

"21살, 삼수에 실패했습니다. 수능이 끝난 뒤 한 달여를 집에서 시체처럼 지냈습니다. 지금 어찌 해야 할지를 모르겠습니다. 삼수 시작하기 전에 마음에 품었던 꿈도 지금은 과연 내가 그 꿈을 원한 것이 맞는지 헷갈립니다. 어쩌면 좋은 대학이라는 간판이 나의 꿈은 아니었는가 하는 생각이 듭니다.

가을에 군 입대를 앞둔 저는 고민에 빠져있습니다. 삼수로 합격한 지방대학을 가야 하는지, 군대를 가기 전에 나의 시간을 가지는 것이 좋을지 모르겠어요. 부모님은 한 학기만이라도 다니고 군대를 다녀오면 다시 힘을 보태 주신다고 합니다. 하지만 저는 근처에 도서관에 가서 책도 읽고 저에 대해 생각을 할 시간을 가져보고 싶습니다. 아침에 운동도 하면서 군대 가기 전에 저만의 시간을 보내고 싶어요.

지금 생각해보니 그동안 공부를 한 이유가 단순히 칭찬받고 싶어서였고 ,그동안 꿈이라고 생각했던 것도 외적인 것만 보고 정한 것이 아니었나 싶습니다. 어쩌면 이렇게 자신에 대해 오랜 시간 생각할 시간은 이번이 마지막이라는 생각이 듭니다. 군대를 다녀온 후에는 남들보다 뒤처졌다는 자괴감,부모님에 대한 죄송함, 나이에 대한 부담감 등 때문에 힘들 것 같아요.

지방 국립대라도 한 학기 다닐까요? 아니면 제 시간을 가져볼까요? 솔직히 지금 잘 모르겠어요. 인 서울 학교를 목표로 공부했는데 실패하니 무엇을 어찌해야 할지 모르겠어요. 정답은 없겠지만 조언 부탁드립니다."

인터넷에 올라온 한 학생의 글이다. 이 글을 올린 학생은 지금 앞이 보이지 않는 동굴 속에 갇힌 느낌이 들 것이다. 자기보다 먼저 동굴을 통과한 사람들에게 어찌하면 동굴을 빠져나올 수 있는지 답답한 심정에 질문을 올렸다. 당신은 그에게 어떤 대답을 해주고 싶은가? 나는 이렇게 답글을 달았다.

"100년을 사는 인생으로 보았을 때 1년은 짧은 기간이니 절망에 빠지지 말고 지금 주어진 것에 최선을 다하세요. 인 서울 대학교를 목표를 두었다고 했는데 그 이후의 목표는 무엇인지 생각해 보셨나요? 학생이 목표한 그 대학에 입학하는 것만이 인생의 성공은 아닙니다. 주어진 환경을 내 편으로 만드는 것, 그것이 진정한 실력입니다. 주어진 상황에서 헤쳐나가 보십시오. 최고의 결정을 내리기 위해 시간을 낭비하지 말고, 내가 선택한 결정이 최고가 되기 위한 방법을 찾아보세요."

위의 글을 올린 학생은 몇 달째 방 안에 처박혀 미래에 대한 고민에 빠졌다. 삼수해서 붙은 지방대를 가야 하는지, 다시 한 번 도전해야 하는지 결정하지 못해 아까운 세월을 허비하는 것이 안타깝다. 마흔을 바라보는 나이에 바라보니 어느 대학을 가는지는 결코 중요하지 않은데 말이다.

나 역시도 수능 점수가 좋지 않아서 원하는 대학에 진학하지 못했다. 재수를 하고 싶었지만 부모님께 짐이 되고 싶지 않았다. 선택의 여지가 없어 합격한 대학에 입학을 했야만 했다. 지금껏 고생하신 부모님으로부터 어서 빨리 경제적으로 독립해야 한다는 생각에 남들보다 바쁜 대학생활을 했다. 평일에는 단과대학 사무실에서 아르바이트를 하고, 주말이면 예식장 아르바이트를 했다. 방학에는 식당에서 하루 종일 아르바이트를 하여 학비와 용돈을 벌었다.

방학마다 배낭여행을 가고 어학연수를 가는 친구들의 모습을 보면서 풍족하지 못한 집안 환경을 원망하기도 했다. 하지만 누구보다 열심히 사는 부모님을 탓할 수는 없었다. 나는 현실을 받아들였고 내게 주어진 상황에서 최선의 방법을 찾기 위해 노력을 했다. 그런 나의 노력 덕분에 '호주 워킹홀리데이'라는 대안을 마련할 수 있었고, 관제사라는 직업에 도전할 수 있는 용기가 되어주었다.

그 당시에는 알지 못했다. 내가 남들보다 가지지 못한 것 때문에 미래가 불안하기만 했다. 남보다 부족한 것을 채우려고 했던 그 노력들이 살아가면서 얼마나 큰 재산이 되어 주었는지 지금에서야 조금씩 깨닫고 있다. 지금은 작가라는 새로운 세계에 도전을 하고 있는 나는 부모님께 감사한다. 나에게 긍정적인 생각을 할 수 있도록 충분한 사랑을 주신 것과 그리고 나에게 완벽하지 않은 환경을 만들어 주신 것에 대해서 말이다.

그래서 나는 다시 한 번 다짐한다. 나의 아이들에게는 완벽한 조건의 환경을 만들어 주는데 집중하지 않을 것이다. 그저 아이들이 주어진 환경을 이겨낼 수 있는 긍정의 힘을 키워줄 것이다. 그것이 진정한 부모의 역할이 아닐까?

내가 원하는 결과가 나오지 않았다고 해서 실패한 것은 아니다. 내 앞에 놓인 상황이 원치 않던 것이라 해도 그것을 '전화위복'의 기회로 만들 수 있다. 남들보다 좋지 않은 대학을 간 것 같고, 지금의 직장에서 나의 능력보다 덜한 대우를 받는다는 생각이 들 수도 있지만, 그것은 더 나은 결과로 가는 과정일 뿐이다.

고아로 자란 A씨는 나이트클럽에서 웨이터로 일하면서도 항상 더 나은 미래를 꿈꿨다. 이후 구둣방에서 일하기도 하고 전국을 돌아다니며 영업도 해보았다. 몇 년 후 그는 수많은 경험을 기반으로 자신의 회사를 차렸다. 바닥부터 시작한 경험 덕에 회사는 조금씩 성장했고 경제적으로도 안정을 찾아가고 있었다.

대기업에 기술을 제공하는 협력사가 되면서 회사는 급성장했고, 규모도 점점 커지기 시작했다. 하지만 안정이 그리 오래 가지는 못했다. 대기업에서 회사의 중요 기술과 직원들을 빼돌린 것이다. 회사 경영이 순식간에 위태로워졌고, 믿었던 동료와 협력사의 배신에 그는 순식간에 무너져 내렸다. 억울하고 분했지만 대기업을 이길 수가 없었다. 회사를 넘기는 조건으로 얼마의 주식을 받았지만 큰돈이 되지는 않았다.

몇 달을 방황했다. 아내와 자식을 생각하니 그렇게 주저앉아 있을 수만은 없었다. 다시 일어나 작은 회사에 취업을 했고 몇 배로 더 열심히 일했다. 그렇게 몇 년을 보내자 자신을 망하게 한 회사가 코스닥에 상장되었다. 그가 몇 년 전 받은 주식은 수십 배가 올랐고 주식의 일부를 처분하여 그동안 고생한 아내에게 외제차를 선물했다. 주변 친구들은 그가 한 고생은 잊고 로또라도 맞은 것처럼 부러워했다.

지인의 이야기이다. 인생은 롤러코스터와 같이 올라갈 때도 있고 내려올 때도 있다. 올라갈 때는 세상을 다 얻은 것처럼 기세등등하지만, 내려올 때는 언제 내려올지 몰라 불안하고 초조함이 밀려든다. 수능에 떨어지고, 원하는 직장에 들어가지 못하고, 회사가 망하면 세상이 끝난 것 같은 절망에 빠진다. 그렇다고 결코 인생이 끝난 것은 아니다. 지금의 시련이 실패인지 기회인지는 지나봐야 알기 때문이다.

지금 당신의 상황이 힘에 부칠 수도 있을 것이다. 앞으로 나아가지도 못하고 돌아갈 길도 없는 상황에서 죽을 것 같이 힘이 들지도 모른다. 아이는 커 가고 나이는 들어가지만, 할 수 있는 일은 점점 줄어드는 현실은 나 자신을 더 초라하게 만든다.

'이 나이에 뭘 다시 해보겠어?', '내가 뭘 잘할 수 있겠어?'라며 하루를 허비하고 있는 당신의 모습은 입시에 실패해서 절망에 빠진 수험생과 같다. 대학 하나로 인생이 끝나지 않듯이 지금 힘든 상태가 계속되지 않는다.

현실이 절망스럽다고 절망 앞에 주저앉아 시간을 낭비하지 말자. 세상이 모든 사람에게 공평하게 주는 것은 시간뿐이다. 그 시간을 어떻게 활용했느냐에 따라 절망이 실패가 되느냐, 성공의 기회가 되느냐가 결정된다. 다시 한 번 돌이켜보자. 그 한숨으로 보낸 세월이 하루, 이틀, 1년, 3년이 그리고 10년이 되지는 않았는지 말이다.

2006년 윌 스미스와 그의 아들 제이미 스미스 주연으로 화제가 되었던 영화 〈행복을 찾아서〉는 월스트리트의 전설인 '크리스 가드너'의 실화를 영화로 만든 것이다. 크리스는 전 재산을 털어서 시작한 의료기기 사업을 시작한다. 아침부터 밤이 될 때까지 열심히 뛰어다녀 보지만 한물간 의료기기는 좀처럼 팔리지 않는다. 세금도 못 내고 차까지 압류당하는 처지에 이르자 아내는 아이와 그를 두고 떠난다. 수중에 돈이 떨어져 모텔에서도 쫓겨나 길거리를 돌아다니고 화장실에서 잠을 잤다. 노숙자 쉼터가 아니면 끼니조차 해결해지 못하는 날들이 이어졌다.

어느 날 크리스는 빨간색 페라리를 몰고 나타난 신사를 보고 부러워 무엇에 끌리듯 그에게 물어본다.

"초면에 죄송합니다만, 딱 두 가지만 물어보겠습니다. 댁의 직업은 무엇이고 이렇게 성공한 비결은 무엇입니까?"

그의 질문에 그 신사는 대답한다.

"난 주식 중개인이오. 숫자에 밝고 사람 만나기를 좋아한다면 당신도 나처럼 성공할 수 있을 것이오."

그는 한 회사에 어렵게 인턴으로 들어가는데 성공한다. 하지만 60대 1의 경쟁률을 뚫고 정직원이 되기 전까지 무급으로 일해야 했다. 공원, 노숙자 쉼터, 지하철 화장실을 떠돌던 그는 동료들이 퇴근한 후 사무실 책상 아래에서 잠을 잤다. 그는 함께 잠든 아들을 보면서 절대로 포기하지 않겠다고 다짐했다.

남들보다 더 일찍 사무실에 출근했고 더 오래 남았다. 동료들보다 전화를 더 많이 사용했고, 더 많은 고객을 만났다. 흑인이라는 사실 때문에 주식 중개를 거절하는 고객이 많았지만 그는 그의 피부색을 탓하지 않았다. 아들을 따뜻한 집에서 재우고 다른 아이들처럼 키우고 싶어 했던 그의 의지는 그가 처한 상황에서 방법을 만들어냈다. 전화만으로 주식 중개를 성립시키기 위해 노력했다. 말투와 화법을 바꾸고 고객이 사무실로 오지 못하도록 했다.

그는 자신의 앞에 나타난 장애물을 원망하며 그 자리에 주저앉지 않았다. 넘어가고, 돌아가서라도 목표만을 바라보고 걸었다. 화장실 가는 시간을 아끼기 위해 물도 마시지 않았고, 목표한 하루 200통의 전화를 채우겠다는 스스로 한 약속을 매일 지켰다. 그 결과 높은 경쟁률을 뚫고 정직원이 되었고, 몇 년 후 그는 월가에서 가장 성공적인 투자사였던 '베어 스턴스'로 스카우트되어 옮기게 된다. 4년 뒤에는 '크리스토퍼 가드너 인터내셔널 홀딩스'를 설립한다. 노숙자에서 억만장자가 되어 월가의 전설로 남아 있는 그는 자신이 어려웠던 시절에 도움 받은 기억을 되살려 수많은 자선단체에 기부금을 내고 있다.

"노숙자에서 월스트리트의 별이 되었다는 말은 남들이 내게 하는 말이다. 내 인생 여정은 다른 무엇보다 내가 아들에게 한 약속을 지켜온 과정이었다. 어떤 사람도 '넌 할 수 없다'라는 말을 하게 하지 마라. 꿈이 있다면 그것을 지켜내야 한다. 사람들은 자신이 할 수 없는 일일 때 너에게 '넌 할 수 없다'고 말하고 싶어 한다. 원하는 게 있다면 가서 쟁취하라."

그는 많은 사람들에게 이렇게 이야기한다.

"'나는 안 되는구나' 하고 포기하고 싶을 때가 있다. 그때 지금 그 자리에서 다시 시작해라. 세상에서 가장 큰 선물은 자기 자신에게 기회를 주는 삶이다."

크리스 가드너처럼 바닥으로 떨어진 삶을 살고 있는 사람은 그렇게 많지는 않을 것이다. 하지만 그보다 나은 상황에서도 눈앞의 많은 장애물에 걸려 삶을 낭비하는 사람들이 많다. 지금 당신이 장애물에 걸려 넘어졌다면 다시 일어날 힘이 없는 것인지, 다시 일어나고 싶지 않은 것인지 생각해보자. 크리스는 자신이 넘어지면 아들을 보며 일어났다. 아들만은 자신처럼 살게 하고 싶지 않아 넘어지고 뒹굴고 힘들어도 끝까지 일어나 목표를 향해 한 발 한 발 내딛었다.

절망에 기대고 싶어질 때 장애물을 넘지 못하는 것인지, 넘고 싶지 않은 것인지 스스로에게 물어보자. 내가 하지 않아도 그 누군가가 해주길 바라고 있는 것은 아닐까? 남편에게 그 역할을 몰아준 채 나는 조금 편하고 싶어 하지 않은지 솔직히 생각해봐야 한다. 내 인생은 스스로 살아가야 하는 것이다. 절망에 빠져 기댈 누군가를 찾기 위해 시간을 낭비하기보다 두 다리에 힘을 주고 툭툭 털고 일어나 원하는 목적지를 향해 걸어가자.

04

평범하게
사는 것이
행복일까?

캐나다에 사는 6살 소년 라이언 헐 잭은 유치원 선생님으로부터 아프리카에 사는 사람들이 깨끗한 식수를 얻지 못해 질병으로 고생하고 심지어 목숨까지 잃는다는 충격적인 이야기를 들었다. 70달러만 있으면 아프리카에 우물을 팔 수 있다는 선생님의 이야기에 라이언은 심부름을 해서 모은 돈을 개발도상국에 물을 지원하는 자선단체에 기부했다. 6개월 후 아프리카의 한 마을에는 '라이언 우물'이 생겼고 이를 직접 본 라이언은 자신이 더 많은 일을 할 수 있을 것이라는 희망을 발견했다.

몇 년 후인 2001년, 라이언은 자신의 이름을 딴 '라이언 우물재단'을 설립해 아프리카에 우물을 파는 공익사업을 펼쳐나가기 시작했다. 2006년 15

세로 성장한 라이언은 150만 달러 이상을 모금하여 식수 위생 프로젝트 266개를 완성시켰고, 그 결과 12개국에서 43만여 명이 깨끗한 식수를 마실 수 있게 되었다. 6살의 평범한 꼬마가 낸 아이디어로 수많은 사람들이 깨끗한 물을 마실 수 있게 되었고, 그의 작은 도전이 만든 결과는 많은 사람들에게 '나도 할 수 있다'는 영감을 주었다.

평범하게 사는 사람과 세상을 바꾸는 사람과의 차이는 작은 차이다. '나 하나만이라도'라고 생각을 하느냐, '나 하나쯤이야'라고 생각하느냐의 차이인 것이다. '나 하나만이라도'의 생각을 실천하여 한 번의 작은 성공을 경험한 사람들은 조금 더 큰 도전을 한다. 라이언 역시 자신의 노력에 대한 결과를 직접 겪은 뒤, 세상을 위해 자신이 할 수 있는 일이 더 많을 것이라는 자신감을 갖게 되었다.

세상을 바꿀 수 있다는 포부를 가졌던 10대에 비해 작은 성공보다는 수많은 실패를 경험한 30대는 적당히 현실과 타협하려고 한다. 내가 도전하는 것이 실현 가능한 것인지 아닌지를 주변 사람들의 반응으로 판단하고 시작조차 하지 않고, 어느덧 남들처럼 평범하게 사는 것이 목표가 되어 버린다.

남들이 하니까 대학을 진학했고, 대학을 졸업하면서 적당히 조건에 맞는 직장을 구하고, 나이가 들면 결혼을 한다. 결혼을 하면 아이를 낳고 가정을 이루면서 구체적인 미래의 목표나 계획은 없어진다. 적당한 집에서 적당한 차를 보유하고 남들이 어떻게 사는지 살펴보고 이렇게 사는 것이 인생이고 행복이라며 애써 위안을 삼는다. 목표도 계획도 없이 살다 보니 그냥 남들처럼 평범하게 사는 것이 어느덧 삶의 목표가 되어버렸다. 평범한 것이 목표이다 보니 현실은 항상 평범함 그 이하일 수밖에 없다.

평범한 것이 행복이고 평범하게 사는 것이 최고라는 생각을 버려야 한다. 세상을 바꾸겠다는 목표는 아니더라도 내가 태어나고 자란 이 세상에 도움이 되는 사람이 되어야겠다고 생각을 바꾸어보자. 남보다 잘나고, 멋진 삶을 살라는 이야기가 아니다. 평범하게 사는 것에 안주하지 말라는 것이다.

오늘, 어제와 다른 한 가지를 더해 보자. 그리고 오늘보다 한 발짝 나아가는 내일을 만들려고 노력한다면 매일 반복되는 일상에서 벗어날 수 있다.

오늘은 어제보다 열정적이고, 내일은 오늘보다 성장하는 사람이 되려고 노력해야 한다. 도대체 무엇부터 시작해야 할지 알 수가 없다면 작은 것부터 시작해 보기를 추천한다. 어제 7시에 일어났다면 오늘은 조금 더 일찍 일어나 독서할 시간을 확보해 볼 수 있다. 어제 TV를 2시간 보았다면, 오늘은 1시간만 보고 1시간은 운동을 하며 보낼 수 있다. 어제 쓸모없이 보낸 시간이 5시간이라면 오늘은 4시간으로 줄일 수 있는 방법을 찾고, 내일은 3시간으로 줄여보아라. 책을 읽고 싶다면 10분부터 시작해서 매일 5분씩 늘려갈 수도 있다. 매일 조금씩 변화를 시도하면 당신도 평범함을 벗어난 특별한 사람이 될 수 있다.

주부 A씨. 그녀는 아침이 되면 두 아이를 학교에 보내기 위해 정신이 없다. 늦잠 자는 아이들을 깨우고, 씻기고, 쫓아다니며 아이들에게 한 숟가락이라도 더 먹이려고 밥그릇을 들고 쫓아다닌다. 겨우 아이들을 보내놓고 나면 잠시 소파에 앉는다. 전쟁 같은 아침 시간에 진을 뺐더니 지쳐서 어느새 잠이 들었다. 깨어보니 점심시간이 다 되었고 때마침 아랫집에서 점심 먹으러 오라며 연락이 왔다. 동네 사람들과 삼삼오오 모여 점심을 대충 해결한다. 점심을 먹고 차를 한 잔 마셨을 뿐인데 벌써 시간은 3시가 다 되었다. 집은 난장판인데 은행도 가고 장도 보러 가야 해서 마음이 급해진다. 집으로 돌아와 서둘러 저녁 준비하고 아이들 챙겨주고 정리하고 잠들 때까지 그녀의 시간은 하나도 없다.

주부 B씨. 남편이 혼자 생활비를 버는 전형적인 외벌이다. 아침에 남편과 아이들을 내보내고 그녀도 함께 나온다. 집에서 나온 그녀는 근처 도서관을 가서 책을 본다. 주말에 있는 독서토론모임에서 이야기할 책을 읽고, 가입한 카페에서 추천하는 도서도 읽는다. 혼자 하는 독서보다 여러 사람과 함께 의견을 공유하는 독서의 효과가 훨씬 크다는 것을 느끼고 찾아서 모임을 다닌다.

아이들이 돌아오는 3시까지 자신의 시간을 갖는다. 아이들이 오는 시간이 되면 아이들 간식을 챙겨주고 놀이터를 쫓아다니면서 짬짬이 블로그에 올릴 사진을 찍는다. 그녀는 엄마들 사이에서 나름 유명한 파워 블로거다. 아이를 키우면서 주부로서 자기계발하며 살아가는 일들을 올렸더니 주변의 반응이 좋다. 블로그 관리는 혼자 있는 시간이 아니라 식탁에 노트북을 펴놓고 아이들과 함께 있는 흘려보내는 시간을 이용한다. 저녁이 되면 아이들과 함께 정해진 시간에 둘러앉아 공부하는 시간을 갖는다. 아이들은 숙제를 하기도 하고 엄마는 그날 본 책을 노트에 정리하면서 아이들에게 꾸준한 독서의 필요성을 몸소 보여준다.

같은 전업주부의 일상이지만 두 사람의 10년 후는 판이하게 다를 것이다. 전자는 주어진 상황을 수동적으로 받아들이는 사람이고, 후자는 능동적으로 움직이는 사람이다. 당신은 주어진 것만 하는 사람인가? 아니면 스스로 새로운 것을 찾아내 도전하는 사람인가?

'지금 이 정도면 난 만족해'라는 생각의 이면에는 '내가 이 정도로 사는 건 나의 가치에 비하면 운이 좋은 거야. 이걸 유지하는 게 최고야. 괜한 걸 시도해서 이조차도 잃으면 안 돼' 하는 마음이 자리 잡고 있을지도 모른다. 부디 하루 중 나만을 위해 투자할 수 있는 시간을 찾아보길 바란다.

모두가 세상에 태어날 때 해야 할 일을 가지고 태어난다. 어떤 한 가지라도 당신의 재능이 쓰일 곳이 있다. 절대 자기 자신을 과소평가하지 마라. 평범하게 살려는 생각을 버리고, 내가 가진 재능을 한 가지라도 세상에 드러내 보이겠다는 생각을 해보자. 재능을 발견하고 사람들에게 인정받고, 내가 세상에 도움이 되는 사람이 된다는 것이 얼마나 큰 행복이고 즐거움인가? 평범함을 목표로 살아가는 것은 삶에 대한 기만이다. 평범함을 벗어나 세상에 나를 드러내고 보탬이 되는 사람이 되자.

05

행운은 준비된 사람에게 찾아온다

국내보다 글로벌 시장에서 더 인정받는 신생기업이 있다. 20년지기 파트너십을 자랑하는 문지원, 호창성 부부가 창업한 '빙글'이 그 주인공이다. 지난 9월 미국 샌프란시스코에서 열린 스타트업 컨퍼런스 '비글로벌 beGLOBAL 2014'에서 실리콘밸리 벤처 투자가들이 뽑은 가장 유망한 기업 1위에 올랐다. '한국의 차세대 유니콘'이라는 평가를 받는 '빙글'은 '유니콘 클럽 Unicon Club, 기업 가치가 10억 달러 이상에 이르는 신생 창업기업'에 들어갈 가능성이 가장 큰 기업이 된 것이다. 이들이 2007년 미국 유학 시절 창업한 동영상 자막서비스 '비키 viki'는 지난해 일본의 전자상거래업체 라쿠텐에 2억 달러(2100억)에 매각되었다. –2014년 10월 20일 〈중앙일보〉

남들은 평생 만져 보기도 힘든 돈인 2100억 원을 벌고도 '빙글'을 창업한 문지원, 호창성 부부를 계속 뛰게 하는 원동력은 무엇일까? 이들은 2000년 벤처 창업의 바람을 타고 첫 창업을 했다. 하지만 3년 만에 1억 원의 빚만 남고 말았다.

30대가 되기 전 1억 원의 빚은 보통 사람들에게 창업의 아픔으로 남았을 것이다. 하지만 이들에게는 다시 새로운 꿈을 꾸는 촉진제가 될 뿐이었다. 창업에 대해 진지하게 고민하고 차근차근 준비하던 그들은 더 나은 창업 공부를 위해 유학을 떠났다. 이 당시 보통 한국 학생들의 유학은 마케팅이나 금융, MBA 과정이 주를 이루었고 이들처럼 창업이 목표로 한 경우는 거의 없었다.

유학 과정에서도 꾸준히 창업 아이템을 찾는 이들의 눈에 띈 것은 영어에 한 맺힌 유학생들이었다. 이들을 보면서 '언어의 장벽을 없애는 것이 뭐 없을까?'를 고민하게 되었고, 이 고민의 결과로 나타난 것이 '비키'였다. 비키는 이용자들이 자발적으로 동영상 언어를 번역해 다양한 언어로 자막을 붙여주는 서비스이다. 한국의 드라마 동영상을 올리면 인도어로 자막이 올라가고, 스페인어로 자막이 올라가 160여 개 나라의 사람들이 자막을 보며 뮤직비디오와 드라마, 애니메이션을 즐길 수 있다. 어찌 보면 단순하지만 많은 사람들의 필요한 부분을 채워준 서비스인 비키를 일본 회사에 매각할 수 있었던 것이다.

국내외 IT업계에서 '스타 창업가'로 유명한 이들의 성공을 그저 행운이라 부를 수 있을까? 최근 들어 수많은 사람들이 IT와 관련된 아이템 찾기에 열을 올리고 있다. 스마트폰이 보급되면서 어플리케이션 개발 하나로 대박의 꿈을 찾아 헤매는 사람들은 하나같이 이렇게 이야기한다.

'아이템 하나면 인생 한 방인데!'

이런 말을 입에 다는 사람들치고 이와 관련된 정보를 찾고 실제로 준비하는 사람은 보지 못했다. 그들은 매일 퇴근 후 술자리에서 "누구는 사업을 해서 어떤 아이템으로 얼마를 벌었다", "누구는 개업했는데 대박 났다", "누구는 부모 잘 만나서 얼마를 물려받았다" 이렇게 신세 한탄으로 시간을 보낸다. 자신이 성공하지 못하는 것은 운이 없는 것이고, 그 친구가 성공한 것은 운이 좋아서 그런 것이라 치부해버린다.

나는 그들에게 퇴근 후 신세 한탄으로 시간 낭비만 하지 말고 무엇이든 배우라고 하고 싶다. 영어 학원을 등록할 수도 있고, 헬스클럽을 다닐 수도 있다. 야학 봉사를 할 수도 있고 책을 읽을 수도 있다. 퇴근 후 3시간을 어떻게 보내느냐에 따라 나의 미래가 달라진다는 것을 알지 못한 채 시간을 허비하고 있는 것이다. 시간이 없다고 이야기하면서 삼삼오오 모여서 술 마실 시간은 있고, 돈이 없다고 이야기하면서 매일 커피 한 잔을 손에 들고 다녀야 하는 것이 그들이 미래를 준비하는 방법인 것이다.

너도나도 글로벌 진출을 꿈꾸고 한국의 스티브 잡스를 꿈꾸지만 지금의 안정된 자리를 박차고 나설 용기는 없다. 모두가 성공을 꿈꾸고 발전을 원하지만 시간을 헛되이 보내는 것을 알지 못한다.

나의 불우한 환경을 탓하거나 운이 없음을 탓해선 안 된다. 운은 과거 행동이 만드는 것이다. 성공한 사람들은 하나같이 자신의 성공비결을 '운이 좋아서'라고 이야기한다. 많은 사람들은 그들이 말한 '운'을 갑자기 나타난 것이라고 착각하는 경향이 많다. 하지만 그들이 말하는 '운'이라는 것은 그들이 노력한 '운을 끌어들이는 습관'을 의미한다.

운을 끌어 들이는 습관이라는 것은 무엇일까?

첫째, 시간 관리를 잘하는 습관이다.

행운을 끌어들이는 사람은 24시간을 48시간처럼 쓴다. 하지만 운이 없다고 스스로 생각하는 사람들은 항상 시간이 없다는 것을 입에 달고 산다. 엉덩이를 의자에 붙이면 스마트폰으로 카카오톡이나 게임에 빠지고, 잠들기 전에는 1시간씩 뉴스기사를 검색한다. 집에 있는 동안에는 습관적으로 TV를 켜고 리모컨을 들고 채널을 이리저리 옮기면서 시간을 보낸다. 그렇게 흘려보내는 시간을 붙잡을 방법을 생각해 보아야 한다. 스트레스를 풀기 위한 게임과 TV 시청은 하루 30분이면 충분하기 때문이다.

둘째, 긍정적인 생각을 하는 습관이다.

성공의 대가 나폴레온 힐은 이렇게 이야기했다.

"사람들 간의 차이는 아주 작습니다. 하지만 이 작은 차이가 큰 차이를 만들어 냅니다. 작은 차이는 긍정적인 생각과 부정적인 생각이고, 큰 차이는 성공과 실패입니다."

시련을 극복하고 목표를 향해 전진하기 위해서는 상황을 탓하지 않고 나를 바꾸려고 하는 노력이 필요하다. 환경을 탓하지 않고 나를 바꾸려고 하는 노력은 긍정적인 사고 습관에서 나온다. 힘든 상황에서도 '나는 할 수 있다. 나는 해낼 것이다'라고 외칠 수 있는 용기는 긍정의 습관이 있어야 가능하다.

10년 후를 바꾸기 위해서는 오늘을 바꾸지 않으면 안 된다. 오늘 나의 하루를 돌아보고 어떤 습관이 나에게 올 운을 밀어내는지 잠시 생각해보자. 그리고 그 습관들을 의식적으로 없애려고 노력해야 한다. 습관을 고치는 것이 어렵다면 좋은 습관으로 고질적으로 고쳐지지 않는 습관을 덮으려고 노력해 보는 것도 좋은 방법이다.

'오늘 하루도 열심히 지냈구나, 정말 수고했어. 내일은 더 행복한 하루가 될 거야'라고 스스로에게 이야기하면서 잠자리에 들어보자. 아침에 일어났을 때에는 '스스로에 대한 약속을 잘 지켜서 정말 대견해, 넌 뭘 해도 잘할 거야 믿어'라고 이야기하면서 기분 좋게 하루를 시작해보자. 그런 기분으로 하루를 시작한다면 지나간 일에 대한 후회보다 내 앞에 주어준 문제를 해결하고 나아가는 하루를 보낼 수 있을 것이다.

행운은 준비된 사람에게 찾아온다. 행운을 잡기 위해선 사소한 습관과 행동을 잘 살펴봐야 한다. 경험은 우리에게 말을 한다. 그것이 실패이든 시련이든 간에 말이다. 인생이 나에게 거는 이야기에 귀를 기울여보자. 그 이야기 속에 행운을 거머쥐는 법이 담겨 있을 테니.

06

나만의 레모네이드

'레몬'은 미국 속어로 불량품을 일컫는다. '시고 맛이 없는 과일'이란 뜻에서 '별로 쓸모없다'는 의미로 통용된다. 레모네이드는 레몬에 설탕과 탄산수를 더하여 청량함과 시원함, 상큼함을 느낄 수 있는 음료이다. 레몬이 과일이면서도 과일 대접을 받지 못하게 했던 신맛을 장점으로 살려 레모네이드가 탄생된 것이다. 이처럼 처음에는 찬밥 신세였다가 레모네이드처럼 가치가 탈바꿈되는 경우는 주변에 많이 있다.

책을 읽거나 공부를 할 때 항상 사용하는 '포스트잇'. 이것은 처음에는 실패작이었다. 3M의 연구원인 스펜서 실버는 1907년 강력접착제를 개발하려다 접착력은 있으나 강력하지 않고, 끈적이지도 않는 이상한 접착제를 만들어냈다. 제품 개발에는 실패했지만 이것을 사장시키지 않았고, 회사 동료인 아서 프라이는 이 접착제를 사용할 획기적인 아이디어를 생각해냈다. 이는 수년간의 연구를 통하여 'Post-stick-note'라는 제품으로 탄생되었다.

강력접착제를 만들겠다는 목표에는 도달하지 못했지만, 의식의 전환으로 포스트잇이 탄생할 수 있었다. 실패했다고 해서 그냥 버려졌다면 세계인들이 애용하는 포스트잇은 없었을 것이다.

리스테린이라는 구강청결제를 아는 사람은 많을 것이다. 하지만 이 회사는 바닥청소세제를 만드는 곳이다. 구강청결제는 처음에 바닥청소세제를 개발하면서 만들어졌다. 세정력이 떨어져 불량품으로 여겨졌던 이 세제를 희석하여 입안을 청결하고 개운하게 하는 것으로 사용해보자는 아이디어가 나왔고, 이후 리스테린은 구강청결제라는 새로운 형태의 제품으로 탄생했다. 폐기될 수 있는 아이디어가 전 세계에서 사랑받는 제품이 되었고, 이제는 없어서는 안 될 필수품이 되었다.

앞의 두 제품에서 알 수 있듯이 성공과 실패의 차이는 처음부터 알 수 없다. 하지만 공통점이 있다. 우선 무언가 도전의 결과라는 것, 그리고 그 결과가 목적 달성에는 실패했지만, 발상의 전환으로 많은 사람들에게 편리성을 제공하여 성공이라는 타이틀을 갖게 된 점이다.

누구나 남에게 보이고 싶지 않는 단점과 콤플렉스가 있다. 이것을 창피

한 것, 보여주고 싶지 않은 것으로만 여기고 숨기려고 한다면 점점 자신감이 없어진다. 그런 당신의 단점에 스토리를 더해서 나만의 레모네이드로 탄생시켜보자. 나에게는 단점일 수 있지만, 당당하게 드러내 보이는 순간 나만의 차별성을 만들어 주는 스펙이 될 것이다.

《길 위에서 하버드까지》의 주인공 리즈 머리는 15세부터 길거리에서 생활했다. 에이즈에 걸린 엄마와 약물중독자인 아빠 사이에서 자란 그녀의 어린 시절은 지옥에 가까웠다. 열다섯 살부터는 부모님의 보살핌을 받지 못해 길거리를 떠도는 생활을 해야 했다. 낮에는 지하철에서 잠을 자고 밤에는 추위를 이겨내기 위해 어디든 걸어다녔다. 가출한 열다섯 살의 소녀에게 일자리를 주는 곳은 없었고, 배고픔을 참기 힘든 생활이 이어졌다.

끝날 것 같지 않은 거리 생활로 희망도 없이 살아가던 그녀는 문득 자신이 운명을 개척해야겠다 결심을 하게 되었다. 대안학교에 입학을 했고, 거리를 전전하며 지하철역과 건물 계단에서 공부를 했다.

삶 자체가 고통이었을 그녀는 자신에게 주어진 환경을 극복하기 위해 노력했다. 학비가 비싸기로 유명한 하버드에 들어가기 위해서는 장학금을 받아야 했다. 수없이 많은 장학금 프로그램을 찾던 그녀는 '뉴욕타임즈 장학생 프로그램'을 알게 되었고 지푸라기라도 잡는 심정으로 신청했다. 장학생 신청 서류는 하버드 입학 서류만큼이나 복잡했다. 그중 '학문적으로 성공하기 위해 인생에서 넘어야 했던 장애들'을 기술하는 에세이는 그녀에게는 축복과도 같은 주제였다.

그녀는 자신이 살아온 과거를 묵묵히 적어 내려갔다. 자신이 공부하기 위해 넘어야 했던 장애는 그 어떤 스토리보다 애절했고 처절했다. 지독한 자신의 운명을 바꾸려고 노력한 그녀에게 기회의 신이 나타난 것이다. 자신이 살아온 과정을 담은 그녀의 스토리는 면접관의 마음을 움직이기에 충분했다. 그녀는 장학금의 최종 수여자로 선정되었고, 에세이에 담긴 이야기는 〈뉴욕타임즈〉 기사로 실리게 되었다.

그녀의 기사를 읽은 수많은 사람들이 그녀를 도와주기 위해 몰려들었다. '천사대'라 불리는 후원자들은 밀린 집세를 내주고, 그녀가 공부에만 전념할 수 있도록 선물을 보내 주었다. 아무런 대가 없이 그녀가 잘되기를 바라는 사람들의 마음은 그녀의 힘든 과거를 어루만져 주었다. 자신의 일처럼 눈물 흘려주는 사람들을 보면서 그녀는 세상을 향한 마음의 벽을 허물 수 있었다.

리사의 살아온 환경은 정말 처절했다. 하지만 도저히 극복할 수 없을 것만 같은 운명을 이겨냈다. 그녀의 삶은 기적 그 자체였다. 자신의 운명을 바꿔보겠다고 결심한 순간부터 세상은 그녀의 편이 되어 주었다. 힘들었던 과거는 장학금을 받을 수 있는 스토리가 되었다. 자신의 상황을 이겨낸 그녀는 운명을 지배하는 방법을 알게 되었다. 그녀는 자신이 가지고 있는 레몬을 멋지게 레모네이드로 만들었다.

학창 시절 수업 시간에 얼굴을 책으로 가리고 도시락을 까먹으면 선생님이 모른다고 생각했었다. 당장 안 보인다고 해서 숨겨지는 것이 아니듯 단점을 애써 포장하려 해도 사람들의 눈에는 다 보인다. 감추려고 할수록 더 잘 보일 뿐이다. 나의 단점을 숨기려는 행동은 사람들의 궁금증을 유발한다. 그러니 이제 단점을 애써 꽁꽁 싸매려고 하지 말고 당당하게 드러내도록 하자.

학창 시절 나는 덧니가 심했다. 앞니가 유독 크고 돌출되어 있고 앞니 옆의 이는 작고 뒤고 들어가 있어서 마치 토끼 같았다. 그래서 사진을 찍거나 사람들하고 이야기를 할 때 잘 웃지 못했다. 초등학교 시절 한 남자아이가 나에게 토끼 같다고 한 말이 평생 가슴에 남아 나를 웃지 못하는 아이로 만든 것이다. 이를 보이지 않고 웃는 것이 얼마나 어색했는지 학창 시절 사진 속의 나는 항상 뚱한 표정이다. 활짝 웃어보지도 못한 채 나의 학창 시절은 지나갔다. 예전 학창 시절 사진을 보면 생각한다. 웃기만 해도 예뻤을 때인데 왜 저렇게 웃지 못했을까? 활짝 웃었다면 토끼 같은 덧니보다 환하게 웃는 모습이 훨씬 더 눈에 띄었을 텐데 말이다.

아이들 키우랴, 살림하랴, 과거의 모습은 흔적도 사라져 버린 30대 여성들. 아이들 방학이면 하루 종일 세수도 하지 않고 지내는 날도 많다. 아이들하고만 대화를 하다 보니 아이큐가 돌고래와 비슷해진 것 같기도 하다. 지금 나의 모습을 보면 도저히 무엇을 해낼 수 있을 것 같지가 않다.

하지만 아이를 키우고 살림을 해본 당신은 진정한 어른이 될 수 있다.

'나'만 알았던 20대에서 '우리'를 먼저 생각하는 30대가 된다. 아이가 아플 때는 차라리 내가 아팠으면 좋겠다는 생각도 가져보았다. 내가 아닌 다른 누군가를 위해 내 모든 것을 버릴 각오도 할 수 있다.

누군가 '시골 화장실 똥통에 100만 원을 줄 테니 들어가 보시오'라고 제안한다면 한참을 망설일 것이다. 하지만 내 아이가 그곳에 빠졌다고 생각하면 무조건 뛰어들 것이다. 아이를 키워본 부모라면 망설임 없이 모두 같은 행동을 할 것이다. '절실함'을 뼛속 깊이 기억하는 당신은 20대의 당신이 아니다.

상대방을 유심히 바라보고 상대방의 눈높이에서 이야기하는 법을 알게 되고, 나를 내려놓는 법을 알게 된 당신은 그 어떤 것보다 따뜻한 마음을 가지고 있다. 먹고살기 힘들어지면 당장 길거리에서 좌판이라도 벌릴 수 있는 각오가 되어 있는 당신은 진정으로 사회에서 원하는 사람인 것이다.

레몬에 설탕과 탄산수를 넣어 레모네이드가 되듯이 자신의 인생에 자신감과 꿈, 그리고 스토리를 더해보자. 내가 가진 단점을 레몬으로만 가지고 살아가느냐, 레모네이드로 탈바꿈시켜 인생 역전을 하느냐는 전적으로 나 자신에게 달렸다.

07

운명은 사람을 차별하지 않는다

67년 대간첩 작전에서 척추를 다쳐 하반신 마비가 된 이운봉 씨와 간호사로 이 씨를 돌보던 우갑선 씨 사이에서 태어난 이희아 씨. 그녀는 태어날 때부터 선천적 기형으로 손가락이 네 개밖에 없고, 두 다리가 정상적으로 자라지 않아 서른 살이지만 키는 1m에 불과하다.

이희아 씨의 어머니는 딸에게 연필이라도 쥘 수 있는 힘을 기르게 하고 싶어 피아노를 가르쳤다. 하지만 그녀를 받아주는 피아노 학원은 단 한 곳도 없었다. 3개월을 돌아다닌 끝에 조미경 원장님이 운영하는 숲속피아노 학원과 어렵게 인연이 닿았다. 그렇게 그녀의 훈련은 시작되었다. 하루도 거르지 않고 10시간씩 연습했다. 힘없는 작은 네 손가락에는 물집이 잡히기 시작했고 몸살로 앓아눕기도 했었다. 3개월의 연습 끝에 '학교종이 땡땡땡'을 연주할 수 있었고, 그 연주를 마치자 가족과 선생님은 기쁨의 눈물을 흘렸다.

피나는 노력으로 피아노 연습은 속도가 붙기 시작했고, 92년 '전국학생음악연주평가회'에서 유치부 최우수상을 시작으로 각종 대회에서 상을 휩쓸기 시작했다. 자신에게 주어진 장애라는 시련을 극복하고, 그 누구보다 희망차게 살아가고 있는 그녀는 많은 사람들에게 희망과 행복을 이야기하는 전도사가 되었다. 그녀는 한 인터뷰에서 이렇게 이야기했다.

"튤립같이 생긴 저의 손가락은 신이 주신 선물입니다. 신이 주신 선물에 노력이 더해져 지금의 제가 있는 것입니다."

다른 사람에게 네 개의 손가락은 장애로 보여졌지만, 그녀와 그녀의 식구들에게는 튤립같이 예쁘고 사랑스러운 손가락일 뿐이었다. 긍정과 희망으로 본인의 장애를 극복한 그녀의 꿈은 카네기 홀과 같은 대규모 공연장에서 통일 희망 연주회를 하는 것이다. 국내외를 오가며 연주회로 바쁜 그녀는 오늘도 꿈을 위해 연습을 한다. 누군가는 멀쩡한 신체로 절망에 빠져 시간을 낭비하고 있을 때 튤립 같은 손가락과 작은 키의 그녀는 꿈을 위해 열정을 바치는 하루를 살아가고 있다.

운명은 사람을 차별하지 않는다. 다만 그 사람이 감당할 수 있는 만큼의 행운을 가져다 줄 뿐이다. 같은 시련을 던져주고 그것을 감내하는 사람에게만 그만큼의 행운을 다시 가져다주는 것이다.

지금 내 어깨 위에 있는 삶의 무게가 무겁다고 여겨진다면 그만큼의 행운이 올 것이라고 믿어보자. 감당하는 만큼의 행운이 온다면 버틸만 하지 않겠는가? 운명은 그렇게 사람을 시험에 들게 한다. 그리고 시험을 통과한 사람에게만 행운을 가져다준다.

로또 1등에 당첨된 사람과 교통사고를 당해 장애 판정을 받은 환자의 행복지수는 큰 차이가 난다. 하지만 6개월 후 이들의 행복지수를 측정하면 큰 차이가 나지 않는다고 한다. 이처럼 내가 처한 환경이 가져다주는 행복은 오래가지 않는다. 진정한 행복은 '스스로 헤쳐나가려고 하는 의지의 크기'와 비례하기 때문이다.

우리나라 학생의 행복지수는 OECD 국가 중에서 수년간 꼴찌를 차지하고 있다. 그것도 한 단계 위인 루마니아와도 큰 점수 차이가 나는 독보적인 꼴찌다. 아이들이 행복하지 못한 이유는 자신이 하고 싶은 것보다는 부모님이 시키는 것만 하고 있기 때문이다. 부모님은 미리 살아 봤다는 이유만으로 아이들에게 갈 길을 정해 준다. '너를 위한 거야'라는 핑계로 아이들에게 스스로 판단하는 기회를 빼앗고 불확실한 미래를 위해 현재의 고통을 감내하라고 강요하고 있다.

진정한 행복은 내가 갖고자 하는 것을 깨닫고 극복해낼 때 얻어진다. '내 팔자는 왜 이래' 하면서 운명을 탓하기 시작하면 행복은 점점 더 멀어져 간다. 어떤 시련이 닥치더라도 그것 또한 나의 삶의 한 부분임을 받아들이고 헤쳐나가겠다는 결심을 해보자.

한때 핀란드 수출의 20%, 전체 법인세의 23%를 부담했을 정도로 핀란드의 보배 같은 존재였던 '노키아'. 2000년대 중반까지 세계 모바일 기기 산업을 지배하던 노키아는 이후 스마트폰 경쟁에서 살아남지 못하면서 지난해 마이크로소프트MS에 매각되었다. 이후 심각한 경기 침체에 시달린 핀란드는 새로운 도약의 전환점을 준비하고 있다. 그러한 시도로 말미암아 좋아질 것 같지 않은 경제는 조금씩 살아나려는 기미를 보이고 있다.

노키아의 몰락으로 직장을 잃은 젊은 인재들이 창업의 길을 선택하면서 수많은 벤처기업이 생겨났고, 우리에게도 친숙한 모바일 게임인 '앵그리버드'와 '클래시 오브 클랜'을 개발한 슈퍼셀 등이 등장했다. 예전의 신화를 다시 만들지는 못했지만 적자를 전전하던 노키아도 올해부터 흑자로 돌아섰다. 이런 핀란드의 변화를 보고 전문가는 이렇게 이야기한다.

"그간 노키아의 그림자에 가려져 있던 인재들이 독립하면서 벤처 생태계가 활발해지고 있다."

핀란드 정부도 노키아의 의존도가 높은 경제 구조를 바꾸기 위해 변화를 시도한 결과였다. 노키아가 성공의 기쁨을 누리고 1등이라는 자만심에 빠져 변화를 시도하지 않은 결과는 참혹했다. 하지만 그 이후 노키아와 핀란드 정부는 과거를 회상하며 후회만 하지 않았다. 자신들의 실수를 인정하고 다시 회복하기 위해 필사적인 노력을 한 결과 다시 경제가 살아나고 있는 것이다.

세상은 공평하다. 안주한 사람에게는 행운을 가져다주지 않는다. 안정된 삶이 흔들리고 있다면 '왜 나에게 이런 시련이 오는 거지?'라고 생각하지 말고 신이 당신을 선택하여 행운을 주기 위해 시험에 드는 것이라고 생각하자. 누군가는 태어남과 동시에 시험에 들기도 하고 누군가는 노후에 받기도 한다. 어렸을 때 시험을 통과한 사람은 평생 누릴 자격이 있다. 아직 받지 않은 사람의 경우 다가올 시험에 준비하자. 혹시 당신이 아직 그 시험에 들지 않았다면 언젠가는 올 것이다. 강도가 높을수록 신이 나의 능력을 높게 보았다고 여기고 꼭 이기내야 한다.

마지막으로 로마의 대철학자이자 작가였던 세네카의 명언을 읽어보자.

운명은 사람을 차별하지 않는다.

사람이 자신이 운명을 무겁게 짊어지기도 하고, 가볍게 짊어지기도 할 뿐이다.

운명이 무거운 것이 아니라 나 자신이 약한 것이다.

내가 약하면 운명은 그만큼 무거워진다.

운명을 두려워하면 그 갈퀴에 걸리고 말 것이다.

chapter 5

10년 후가 기대되는 여자가 되라

01

10년 후가 기대되는 여자가 되라

아침 일찍 서둘러 아이들을 학교로 어린이집으로 보낸 후 집 근처 카페에 들렀다. 커피 한 잔과 함께 신문을 읽으며 시작하는 하루가 행복하다. 10월 중순의 싸늘한 공기가 상쾌하게 느껴지는 아침, 내게 주어진 커피 한 잔의 행복에 감사한다. 신문을 읽으며 집에서는 알지 못하는 세상의 흐름을 눈으로 읽으며, 오늘도 최선을 다하자, 다시 한 번 각오한다. 그렇게 잠시나마 하루를 시작하는 의식을 마치고 가방을 짊어지고 근처 도서관을 향한다.

아침시간 동네 도서관, 이 시간에는 도서관의 주요 고객인 교복을 입은 학생들은 없다. 지금 나와 함께 아침을 도서관에서 시작하는 사람들은 어찌 된 것인지 모두 여성들이다. 그것도 결혼을 하고 아이도 있음 직한 30대 중반쯤의 여성들. 자격증 공부를 하는 것인지, 영어 공부를 하는 것인지, 그들의 사연은 알 수는 없으나, 자신에게 주어진 하루를 알차게 살아가는 사람들임은 확실하다. 그들과 함께 책을 보면서 시작하는 나의 하루는 더 이상 행복할 수 없을 정도로 희망과 꿈으로 가득 차 있다.

이런 생활을 시작하기 전, 이 시간이면 아이들을 바래다주고 다시 집으로 들어와 TV를 보고 혹은 소파에 누워 나도 모르게 잠이 들었다. 때론 홈쇼핑을 보면서 살까 말까를 고민하다 한두 시간이 후딱 지나기도 하고, 인터넷으로 서핑을 하다 점심시간을 맞이하기도 했다. 그렇게 점심을 대충 챙겨 먹고 집안 정리를 하고 있으면 어느새 아이들이 올 시간이다.

아무것도 한 것 없이 하루가 갔다는 생각에 괜히 짜증이 났다. 그래서 아이들이 보채면 화를 내기도 하고, 남편에게 전화로 짜증을 내기도 했다. 마트에 가서 직원들에게 트집을 잡기도 하고, 타이밍 맞춰 전화 온 텔레마케터를 화풀이 대상으로 삼기도 했다. 내 스스로에게 불만이 생기는 만큼 마음속에 울분이 쌓였고, 그 울분은 날이 선 시퍼런 칼날처럼 독기를 품은 채 알지 못할 누군가에게 향했다.

에스키모인들은 하얀 눈이 덮인 벌판 한가운데 피 묻는 칼을 꽂아 놓는다. 피 냄새를 맡고 모여든 늑대들은 피가 묻은 칼을 빨면서 자신의 혀에 상처를 입는다. 혀에 상처가 나서 피가 나는지도 모른 채 계속해서 칼을 빨다가 결국은 죽음을 맞이한다. 손쉽게 먹이를 얻기 위해 남이 꽂아 놓은 칼을 빨다가 죽게 되는 늑대의 모습은 나의 모습과 닮아 있었다.

치열하게 사회생활을 하다 아이들에게 울타리가 되고자 살림과 육아에 전념하게 되었다. 하지만 내가 아이들의 울타리가 되어 주는 것이 아니라 남편이 쳐놓은 울타리 안에서 아이들과 안락한 생활을 하고 있었다. 남편이 가져다주는 생활비는 마치 손쉽게 구해지는 먹이와 같았다. 하지만 그런 삶에 익숙해진 나는 점점 게을러졌다. 하루 24시간 동안 생산적인 것은 아무것도 못했다. 아무것도 하지 않고 하루를 낮잠과 수다, 홈쇼핑 시청으로 보낸 후 돌아오는 후회와 짜증은 나의 에너지를 조금씩 방전시켰다.

시대에 뒤처지고 점점 더 나태해져가고 있다는 것을 인정하고 싶지 않아 다른 사람을 원망하고 신세 한탄을 했다. 사소한 것에 흥분하고, 작은 것에 화를 냈다. 그렇게 변해가는 나의 모습은 점점 초라하고 한심스럽게 느껴졌다.

이런 일상을 벗어나게 해준 것은 책이었다. 이렇게 살다가는 60대가 되면 길에서 폐지를 줍거나, 아이들에게 짐이 되는 인생이 될 수도 있다는 불안감이 엄습해 오면서 지금 당장 할 수 있는 무언가를 찾았다.

근처 서점에 가서 읽고 싶은 책 몇 권을 샀다. 20대까지는 평범한 삶을 살았지만 늦었다고 생각하지 않고 새롭게 시작하여 30대부터 다른 삶을 살게 된 사람들을 알게 되었고 '나도 그들처럼 할 수 있지 않을까?' 하는 희망이 생겼다. 그 희망은 내게 아침의 부지런함을 선물해 주었고, 습관처럼 TV 앞으로 끌어다 앉혔던 드라마로부터 독립할 수 있게 해주었다. 지금보다 나은 삶을 살 수 있다는 희망은 그 어떤 동기부여보다 강하게 다가 왔고, 강하게 나의 뇌를 자극했다.

UN 중앙긴급대응기금의 자문위원이자 《지도 밖으로 행군하라》 등 수많은 저서의 작가인 한비야 씨. 그녀의 저서에는 '희망'에 대한 이야기가 나온다. 그녀가 아프리카 어느 나라에 구호 활동을 펼치고 있었을 때였다. 아프리카는 비가 오지 않아 먹을 식량이 턱없이 부족한 상황이다. 많은 사람들이 아프리카 사람들에게 식량을 보내지만, 정작 아프리카 사람들이 원하는 것은 '씨앗'이었다. 다른 나라들로부터 도움 받고 있지만 그들도 그 도움을 언제까지 받고만 살 수는 없다는 것을 알고 있었다. 그래서 그들은 '씨앗'을 그 무엇보다 필요로 했다.

한비야 씨와 그녀의 팀은 기증받은 씨앗을 어느 마을에 배분할지 결정하는 일을 했다. 한정된 수량의 씨앗, 하지만 그것을 원하는 마을은 많았기에 우선순위를 두어 가려낼 수밖에 없었다. 순차적으로 씨앗은 마을로 배분되었다. 마지막으로 남은 씨앗, 비슷한 상황의 두 마을 중 한 곳만 선택해야 하는 상황이 되었다. 상황이 너무나도 안타까웠지만 어쩔 수 없이 한 곳에만 씨앗을 주게 되었다.

씨앗을 받은 A마을. 온 마을 사람들이 정성 들여 밭을 일구고, 경작을 했다. 비가 오지 않는 아프리카의 오지에서 싹이 나고 수확을 한다는 것이 결코 쉬운 것이 아니었다. 안타깝게도 A마을에는 아무런 수확물을 내지 못하고 씨앗은 말라죽어 버렸다. 아무런 수확이 없었지만 놀라운 결과가 나타났다.

A마을에서는 단 한 명의 사람도 굶어 죽지 않았다. 하지만 A마을과 경쟁하여 씨앗을 받지 못한 B마을에는 마을 사람들의 30%가 굶어 죽어버린 것이다. 씨앗으로는 아무런 수확을 얻지 못했지만 수확을 기다린 A마을 사람들에게는 살고자 하는 의지가 생겼고, 나아질 것 같은 희망조차 없던 B마을 사람들은 죽음에 맞설 의지가 없었던 것이다. 그들을 살게 한 것은 바로 '희망'이었다. 씨앗으로 경작을 하고 스스로 키워낸 농작물을 얻을 수 있다는 그 희망이 그들을 살게 한 것이다.

절망에 빠진 사람들에게 필요한 것은 물질적인 도움이 아니다. 지금 이 상황을 벗어날 수 있다는 희망, 지금보다 더 나아질 수 있다는 희망이 그들을 살게 한다. 내가 절망적인 생활을 벗어날 수 있었던 것은 여유 있는 생활, 더 넓은 집, 더 좋은 차가 아니었다.

'지금보다 나은 내가 될 수 있다'는 희망이었다. 지금은 집에서 살림하고 아이 키우면서 늘어난 면 티셔츠에 무릎 나온 트레이닝복을 입는 아줌마지만, 5년 후에는 멋진 정장에 하이힐을 신는 멋진 여성이 될 수 있다는 희망. 지금은 청소, 요리, 살림을 온전히 책임져야 하는 입장이지만 10년 후에는 그것들로부터 벗어날 수 할 수 있다는 희망이 나에게 변화할 수 있는 용기를 주었다. 늦잠의 유혹으로부터 벗어나 아이들과 함께 집 밖으로 나를 이끌어내고, 하루를 힘차고 즐겁게 살게 하는 원동력이 바로 '희망'인 것이다.

버락 오바마의 대통령 당선으로 미국 최초 흑인 퍼스트레이디가 된 미셸 오바마는 스카고 주립병원 부원장으로 일하게 되면서 20만 달러가 넘는 연봉을 받는 잘나가던 여성이었다. 그런 그녀의 커리어가 대통령 남편으로 하여금 묻히는 것이 아깝지 않느냐는 어느 기자의 질문에 그녀는 이렇게 대답했다.

"그의 대통령 임기가 끝날 때쯤에는 제 나이는 48세밖에 되지 않습니다. 그 이후에 제가 하고 싶은 일을 해도 충분한 시간이 있습니다."

아이를 낳고 유모차를 밀고 다니면, 고졸이든 박사과정을 밟았든 누구의 엄마일 뿐이다. 30대 이후 나를 만드는 것은 10대, 20대에 만들어진 과거가 아니다. 누구의 엄마로 불리는 시기가 지나면 그 뒤에는 내 이름이 다시 불리게 될 기나긴 시간이 있다. 미셸 오바마가 남편의 대통령직 수행을 위해 자신이 있는 그 자리, 퍼스트레이디의 자리에서 최선을 다했듯이 언젠가 나의 이름을 되찾을 그날을 위해 지금 있는 그 자리에서 최선을 다하라.

지금부터 10년 후를 준비하지 않는다면 내 이름으로 살아갈 날은 길지 않다. 누구의 엄마로 사는 인생은 딱 10년이면 충분하다. 그 이후의 인생을 내 이름으로 살아갈 준비를 하자. 나는 이 책을 읽는 여러분이 '아이를 키우면서 함께 성장하는 엄마, 10년 후가 기대되는 여자'가 되기를 바란다.

02

지금보다 나은 미래를 꿈꾼다면

스티브 잡스는 "누구나 부담 없이 구매할 수 있고 8세 어린이도 쉽게 사용할 수 있는 컴퓨터를 만들어서 각 개인이 언제 어디서나 자유롭게 가치를 창출할 수 있는 세상을 만들겠다"는 비전을 가지고 애플을 세상에 내보였다.

자동차 왕 헨리포드 역시 "10~20년 뒤 우리 꿈이 이뤄졌을 때는 미국 대부분의 길에 말과 마차는 사라지고, 대신 우리가 만든 자동차가 짐과 사람들을 실어 나르며, 우리 노동자들이 자신이 만든 자동차를 만들고 다닐 것이다"라는 비전을 제시했다.

스타벅스를 만든 하워드 슐츠는 '스타벅스를 세계적인 기업으로 만들겠다'는 비전을 가지고 해마플라스트의 부사장 자리를 박차고 나왔다.

성공자들은 모두 가슴에 장기적인 비전을 품었다. 10년 후를 바라보며 원하는 세상을 그렸고 그리고 해냈다.

누구나 현재보다 나은 10년 후를 원한다. 하지만 10년 후를 생생하게 그리지 못하는 이유는 10년 후를 위해 지금 당장 하고 있지 않은 무언가를 해야 하기 때문이다. 고민하고, 해야 할 일을 찾고, 계획하고, 실천하며 힘들지만 이겨내고 꾸준히 노력해야 한다. 어떤 사람은 그것이 어떤 것인지 몰라서 안 하고, 또 어떤 사람들은 알지만 미루다가 안 하고, 또 누군가는 알지만 힘들 것 같아 시작조차 하지 않는다.

결혼 준비를 하면서 계획을 세운다. 여행을 가기 전에도 일정을 짠다. 쇼핑을 하면서도 목록을 만든다. 하지만 가장 중요한 인생을 계획 없이 닥치는 대로 살아가는 경우가 많다. 당연히 인생은 계획대로 되지 않는다. 하지만 계획을 세워놓으면 최소한 그것과 근접하게 살아갈 수 있다.

로또에 당첨되어 100억이 생긴다면 당신은 무엇을 하겠는가? 그 대답을 30초 안에 할 수 있을까? 물론 당첨만 된다면 그 이후에 생각하면 된다고 생각할지 모르겠다. 하지만 그것도 머릿속에 그림을 그려 놓지 못하면 오히려 지금보다 못한 인생을 살지도 모른다.

2003년 5월 로또복권 1등에 당첨되어 세금을 제하고 189억 원을 받은 52세의 김모 씨, 당첨금으로 그의 인생은 완전히 바뀌었다. 서울에 아파트 2채를 사고 지인들의 사업에 마음껏 투자했다. 가족과 친지들에게 20억 원을 나누어 주는가 하면, 주식투자에도 자신감 있게 수십억 원씩 투자했다. 하지만 그는 로또 당첨 5년만인 2008년 당첨금을 모두 탕진했다.

로또 한 방으로 인생 역전의 맛을 본 그는 또다시 한 방을 위해 사채를 끌어다 쓰고, 주변 사람들에게 자신을 펀드 전문가라고 속여 투자금 명목으로 돈을 모았다. 그 돈도 주식에 투자했으나 다 날리게 되었고 그에게 투자한 사람들은 그를 고소하게 이르렀다. 찜질방 아르바이트를 하면서 도피 생활을 하던 그는 2011년 경찰에 사기죄로 붙잡혀 검찰로 송치되었다.

희망찬 일주일을 살게 해주는 로또복권. 막연히 1등이 되기를 바랄 것이 아니라, 나만의 비전을 가슴에 품는다면 로또복권이 당첨되었을 때 헛되게 쓰지 않을 것이다.

오늘을 살아가는 나의 비전은 '육아와 살림으로 경력이 단절된 여성들에게 다시 사회로 돌아갈 수 있는 길을 제시해 주는 사람이 되자'이다. 이 비전을 향한 현재 목표는 '책 쓰기'다. 아침에 일어나 아이들을 학교와 어린이집에 보내고 나는 도서관이나 카페로 향한다. 신문을 읽으면서 자료를 찾고, 책을 읽으면서 관련된 내용이 있는지 살펴본다. 나의 머릿속은 오직 오늘 써야 할 내용, 그리고 완성해야 할 책의 내용과 주제로 가득 차 있다.

돋보기가 햇빛을 한곳으로 모으듯이 나에게 주어진 일과는 오직 책과 관련된 행위로 가득하다. 그렇게 서너 시간이 지나 조금씩 지루해지기 시작하면, 오늘 해야 할 일을 다이어리에서 찾아본다. 공과금 낼 것이 있는지, 아이들 학원비나 관공서에 들러야 할 일이 있는지, 전화를 해야 할 곳이 있는지 메모해 놓은 다이어리를 펼친다.

겨울이 다가오고 있어 아이들 옷을 사야 하면 잠시 머리를 식힐 겸 쇼핑에 나선다. 나는 그곳에서도 많은 아이디어를 얻는다. 다음에 쓸 책에 관한 생각을 하고, 사람들의 모습을 바라보며 새로운 아이디어가 떠오르기도 한다. 그렇게 갑자기 생각나는 아이디어가 있으면 휴대폰에 메모를 한다.

물건을 고르거나 살 때 직원들에게 말을 건다. 그들에게 질문을 함으로써 다른 사람의 생각을 들을 수 있는 기회가 생기기 때문이다. 책으로는 지식을 얻고, 사람들과 만나면서 경험을 얻는다.

아이들이 돌아오는 시간에 맞춰 집으로 돌아오면 나의 또 다른 하루가 시작된다. 저녁 준비를 하고 아이들과 함께 저녁을 먹고, 씻고, 이야기하면서 평범한 저녁시간을 보낸다. 9시 30분이 되면 아이들은 잠을 자고, 나는 다시 노트북과 책을 꺼내 글을 쓴다.

가끔 머릿속이 막힌 느낌이 들면 TV를 켠다. 드라마를 보면서 명대사를 받아 적기도 하고, 오랜만에 드라마의 재미에 빠지기도 한다. 케이블 TV의 여러 토크쇼를 보면서 공감하는 이야기가 있으면 또다시 적기도 한다. 그렇게 쌓인 나의 데이터는 또다시 어느 책인가에 쓰일 것이다.

일상의 모든 것이 책 쓰기로 엮이는 것이 스트레스이고, 여유가 없어 보일 수 있다. 하지만 순간순간 아이디어가 떠오를 때의 그 짜릿함과, 24시간을 알차게 쓰고 있다는 보람은 그 어떤 여유에서도 느낄 수 없는 흥분이 있다. 짜릿함과 흥분이 느껴질 때마다 나의 에너지 발전소는 더욱 힘차게 돌아간다.

열정과 에너지는 온몸을 돌아다니며 세포 하나하나를 팔팔하게 만든다. 아침에 일어나는 것이 기분이 좋고 미래를 상상하면 행복하다. 꿈을 갖기 전의 삶으로 결코 돌아가고 싶지 않다. 목표가 없었던 불과 몇 달 전에는 어떻게 살았는지 상상되지 않을 정도로 성장하는 하루가 감사하다. 이번 책이 마무리가 되면, 다음의 목표를 만들어 그것을 붙잡고 하루를 살아갈 것이다. 그 목표가 무엇이 될지 모르겠지만 지금부터 설렌다.

존 맥스웰은 저서《꿈이 나에게 묻는 열 가지 질문》에서 이렇게 말했다.

"꿈을 실행하기에 앞서 미리 모든 것을 세세하게 계획해 두어야 하는 것은 아니다. 오히려 그것은 잘못된 생각이다. 생각의 큰 틀은 분명하되 나머지는 꿈을 이루어나가면서 계획하고 수정해야 한다. 단, 중요한 꿈에 대해서는 가능한 한 미리 자세하게 구체화하는 것이 나을 수도 있다."

나 또한 나의 인생이 설계하고 예측한 대로 흘러간 것은 아니다. 책을 쓰면서도 생각지 못한 일들 때문에 완성 날짜가 계속 미뤄졌다. 하지만 꼭 해낸다는 목표는 절대 바뀌지 않았다. 예상치 못한 변수를 비전과 목표에 접목시켜 계획을 수정하고 방법을 바꾸었지만 방향은 바뀌지 않았다.

10년 후 나의 모습을 구체적으로 생생하게 그려보자. 가슴을 뛰게 하는 뜨거운 열정으로 오늘 해야 할 일을 꿋꿋이 해나가자. 강력한 꿈과 비전이 있다면 예상치 못한 일로 목표가 수정될지언정 포기하지는 않는다. 꿈을 향한 목표는 사라졌다 해도 그것은 실패가 아니다. 또 다른 목표와 계획으로 앞으로 나아갈 것이기 때문이다.

열심히 살지만 성공과 거리가 먼 이유는 뚜렷한 비전이 없기 때문이다. 목표는 항상 달성하지 못할 수 있다. 하지만 비전은 계속해서 목표를 수정하고 행동하게 만든다. 꿈으로 살아간 하루가 쌓여 만들어진 10년 후 당신의 모습은 지금 상상하는 그대로일 것이다.

03

당신은 저평가된 우량주다

재테크의 가장 기본은 쌀 때 사서 비쌀 때 파는 것이다. 다른 사람들이 관심을 갖지 않는 곳에 땅을 산 뒤 몇 배의 이익을 챙겨서 팔고, 저력 있는 벤처기업의 가치를 꿰뚫어 보고 투자하여 수익을 올리는 것처럼 말이다. 하지만 평범한 우리는 그들의 가치를 판단하기에 정보의 질이 떨어지고, 혹시 알았다 하더라도 투자할 자본금이 없다. 경제가 어려워질수록 사람들은 재테크에 관심을 갖는다. 소위 대박을 터트리기 위한 정보를 얻기 위해 이곳저곳을 기웃거려 보지만 나를 부자로 만들어 주는 정보들은 내 귀에 들려오지 않는다.

다른 사람들의 가치를 찾아다니지 말고 나의 가치를 올려보는 것은 어떨까? 확률적으로 본다면 로또에 당첨되거나 재테크로 성공하는 것보다는 나의 가치를 올려 수입을 올리는 것이 더 높지 않을까?

'광고 천재'로 유명한 이제석 씨는 지금은 모든 기업들의 러브콜을 받는 우량주이다. 하지만 그도 저평가된 시기가 있었다. 지방대 미대 출신인 그는 졸업 당시 학점이 4.5점 만점에 4.47로 수석 졸업했지만 졸업 후 그를 반겨주는 회사는 단 한 곳도 없었다. 공모전에서도 학력과 토익점수가 필요했기 때문에 지방대 출신인 그는 단 한 번의 수상도 하지 못했다. 또한 수많은 국내 광고회사의 서류전형도 통과하지 못했다. 스펙을 중요시하는 한국에서 그의 작품은 누구에게도 인정받지 못했다.

이곳에서는 더 이상 희망이 없다고 생각한 그는 단돈 500달러를 가지고 뉴욕으로 가기로 결심했다. 동양인이라는 차별 속에서 어렵게 학업과 아르바이트를 병행하며 광고를 위한 삶에 매달려 보지만 미국에서도 삶이 순탄치만은 않았다. 하지만 그는 실력으로 세계 3대 광고제 중의 하나인 '원 쇼 광고제'에서 최고인 금상을 받았다. 그것을 계기로 차별과 멸시는 관심과 지원으로 바뀌었다. 한국에서 계속되는 실패로 좌절에 빠진 그가 뉴욕을 가기로 결심했을 때 이렇게 이야기했다.

"그래, 사회가 나를 알아주지 않으면 내가 판을 바꿔버리자! 죽이 되든 밥이 되든 뉴욕으로 가자."

이렇게 그는 자신이 놓인 환경을 탓하지 않고 찾아나서기로 했다. 다시 돌아온 한국에서 이제 그는 당당한 우량주가 되었다. 미국으로 가기 전 이제석은 아무도 알아주지 않았다. 수많은 기업이 실력을 알아보려 하지 않고 스펙으로 판단할 때 그는 현실 앞에 주저앉지 않고, 자신의 가치를 높일 수 있는 곳으로 갔다.

현재 그는 수많은 기업들로부터 스카우트 제의를 받고 있다. 하지만 고액의 연봉을 마다하고 '이제석 광고연구소'를 만들어 공익광고를 만들고 있다. 돈을 쫓는 일을 하고 싶지 않았다. 가슴이 시키는 일을 하고 싶었다. 회사에 들어가는 것보다 원하는 것을 마음껏 할 수 있는 길을 선택한 그는 이제 더 이상 외부의 환경에 휘둘리지 않는다. 환경에 통제받던 상황을 박차고 나와서 스스로 세상을 움직이기로 한 것이다. 그처럼 당신도 환경의 통제에서 벗어나 스스로 우량주가 되어 세상을 능동적으로 살아가는 여성이 되어 보자.

한국의 대기업들은 스펙이 좋은 인재를 원한다. 대부분의 사람들은 그들이 만들어 놓은 조건에 맞추기 위하여 언제든 경쟁할 준비가 되어 있다. 사회는 그것을 당연히 여기고 붕어빵 찍어내듯 비슷한 사람들을 찍어내기에 바쁘다. 틀에서 나온 사람들은 하나같이 같은 목표만을 가지고 있다. 수많은 사람들이 바늘구멍을 통과하기 위해 서로 경쟁한다. 시선을 조금만 돌리면 더 넓은 길이 많지만 사람들은 앞만 바라볼 뿐이다.

이제석이 다른 사람에게 내둘리는 '판'을 떠나 능동적으로 움직일 수 있는 '판'을 만들었듯이 이제는 내가 원하는 판을 만들어 세상에 나가야 할 때다. 대학이라는 '판', 대기업, 공무원 등 안정된 직업이라는 '판', 여자여서 안 된다는 '판'을 이제는 바꾸어야 한다. '사회가 만든 기준에 맞지 않으면 실패한다'는 공식을 깨는 사람들이 성공하는 세상이다. 앞으로 우리가 살아가야 할 세상은 개인이 만든 판이 합쳐져 만들어질 것이다. 아이들에게 이미 만들어진 판으로 들어가기 위해 경쟁하는 것이 아닌 자신의 판을 만드는 법을 알려줘야 한다. 그렇게 성장한 아이들이 21세기를 주도하는 리더가 될 것이다.

스스로 가치를 만들어내는 사람은 지금 처한 현실이 좋지 않더라도 좌절하지 않는다. 남들이 만들어 놓은 기준에 자신을 맞추지 말고, 나를 위한 기준을 만들어낼 줄 아는 사람이 되자.

·

길가에 한 남자가 상자를 깔고 앉아서 행인들에게 구걸을 한다. 옷은 허름하고 꾀죄죄한 그의 모습에 지나가던 사람들은 한 푼 두 푼 동전을 던져 주었고 그는 사람들이 주는 동전을 모아 하루하루 살아갔다. 하지만 추운 겨울이 오자 추위에 견디지 못하고 얼어 죽고 말았다. 그가 죽은 뒤 사람들은 그가 앉아있던 상자를 열어 보았다. 그 안에는 그가 평생 쓰고도 남을 만큼의 보석들이 들어있었다. 하지만 그는 그 보물 상자를 의자로만 사용하고 열어 보지도 않은 채 구걸로 하루하루를 연명했다. 허름해 보이는 상자를 한 번만 열어 보았더라면 그는 구걸하지 않아도 되었고, 추운 겨울 길에서 얼어 죽지도 않았을 것이다.

지금 우리의 모습도 이 젊은이 같지 않을까 한다. 지금 내가 깔고 앉은 그 상자는 나에게 평생 경제적인 여유와 행복을 가져다주기에 충분하다. 하지만 상자를 깔고 앉는 용도로 사용할 뿐 무엇이 있는지 열어 볼 생각도 하지 않는다. 이 상자의 이름은 바로 '잠재력'이다. 하지만 '내가 이제 와서 뭘 할 수 있겠어'라는 생각이 당신 안에 잠든 거인을 잠에서 깨어나지 못하게 하고 있다.

세상으로 나가고 싶어하는 그 잠재력을 세상에 꺼내 보자. 당신은 우량주가 되어 세상에 좋은 영향력을 줄 수 있는 사람이다. 당신이 앉아 있는 상자의 뚜껑을 열고 그 안의 보석을 꺼내보자.

어느 날, 교수가 학생들 앞에 섰다. 지갑에서 빳빳한 100달러짜리 지폐를 꺼내며 물었다.

"이 지폐를 가지고 싶은 분 계십니까?"

학생들은 교수의 질문에 어리둥절하며 혹시나 하는 생각에 주변을 두리번거리다 손을 들었다. 여기저기 한 명씩 손을 들더니 대부분의 학생들이 손을 들었다.

"손을 내려주세요."

교수는 이렇게 이야기하고는 그 지폐를 구기고 낙서를 하고 심지어는 발로 밟았다. 학생들은 교수의 행동을 이해할 수 없다는 듯이 바라보았다.

"자, 이번에도 이 지폐를 가질 분 계십니까?"

그러자 이번에는 학생들이 스스럼없이 다들 손을 들었다. 교수는 학생들에게 물었다.

"왜 이렇게 지저분하고 구겨진 것도 가지려고 하는 거죠?"

학생들은 당연하다는 듯이 대답했다.

"100달러잖아요."

그러자 교수는 이야기했다.

"여러분, 100달러짜리 지폐는 새것이나 헌것이나 같은 가치가 있습니다. 그저 외형만 다를 뿐이죠. 어떤 모습이든 가치는 변하지 않습니다. 지금 처한 상황으로 당신의 가치를 평가하시 마십시오."

누구나 특별한 능력을 한 가지씩은 가지고 태어났다. 하지만 환경만 탓하면서 자신의 가치를 스스로 절하해 버린다. 이제석은 미국으로 떠나면서 아무것도 가진 것은 없었지만 자신의 가치를 믿었다. 낯선 땅에서 모멸감을 느끼면서도 이겨낼 수 있었던 것은 내면에 숨겨진 가치를 믿었기 때문이다. 스스로 가치를 낮추면서 주변 사람들에게 인정받기를 기대하지 말고, 내가 가지고 있는 가치를 찾아 빛나게 가꾸어 보자.

내가 누구와 결혼을 했든, 집이 몇 평이든, 어떤 차를 끌고 어떤 브랜드의 옷을 입었든 그것이 곧 나의 가치는 아니다. 과거의 실패로, 단절된 경력으로, 빠듯한 살림으로 노후가 불안하다고 해도 그것이 나의 가치를 반 토막으로 만들지는 않는다. 당신은 저평가된 우량주다. 주변 사람들의 시선을 의식하지 말고, 나를 믿고 가고자 하는 길을 당당히 가자.

04

미래는 기다리는 것이 아니다

어느 날, 클린턴 부부가 차를 타고 가다 주유소에 들렀다. 그런데 알고 보니 그 주유소 사장이 예전에 힐러리를 쫓아다니던 남자였다. 클린턴이 득의양양하게 말했다.

"당신, 나와 결혼해서 얼마나 다행이오? 만약 저 남자와 결혼했다면 기껏해야 주유소 사장 부인인데, 나와 결혼한 덕에 미국의 영부인이 됐으니 말이오!"

그러자 힐러리가 코웃음을 치며 대꾸했다.

"내가 저 사람과 결혼했다면 지금 미국의 대통령은 당신이 아니라 저 남자일 거예요!"

나라면 저렇게 대답할 수 있었을까? 보통의 여성이라면 남편의 그런 태도가 기분이 나쁘면서도 받아들였을 것이다. 하지만 힐러리는 자신감 넘치는 말로 응수했다. 상대방을 깔보거나 고압적이지 않으면서 자신을 당당하게 드러낼 줄 아는 그녀는 자신에게 나오는 빛으로 주변까지 밝게 한다.

남편에게 의존하고 아이들 뒤에 숨어 인생을 수동적으로 살아가는 여성에게는 당당함이 설 곳이 없다. 당당함이 없다면 다가오는 미래를 스스로 창조할 수 없다. 여성들이 결혼하고 육아에 전념을 하다 보면 수동적으로 변해가곤 한다. 경제적인 주도권을 가지고 있는 남편과 나의 손길이 필요한 아이들이 우선시되는 것은 당연한 것이다. 하지만 잊지 말아야 할 것은 당당함과 능동적인 습관이다.

모든 상황이 해결되기를 기다려서는 안 된다. '아직은 아이가 어려. 아이에겐 엄마가 함께 있어야 해', '무언가 해보고 싶은데 시간이 없어', '돈을 들였는데 실패하면 어떻게 하지?', '자신이 없어'라는 핑계 뒤로 숨지 말자. 결혼 후 남편에게 기대고 아이들을 키우느라 내 자신을 돌볼 시간이 없었다. 그러다 보니 옷 하나를 사도 혼자 결정하는 것이 어렵다. 이게 싸게 사는 건지, 잘 사는 건지 자신이 없고, 누군가에게 확인을 받아야 할 것 같은 불안감이 느껴진다.

지금 당장 현실에서 소소하게 선택해야 하는 것이 산더미처럼 쌓여 있지만 자신감이 없어 이도 저도 못하고 있는데 미래를 창조한다는 것은 꿈도 못 꾼다. 자신도 없고, 일상에서 벗어나는 것이 두렵고, 새로운 사람을 만나는 것도 두렵다. 피할 수만 있으면 피하고 싶다. 여성들이 나이 들어가면서 사람관계가 좁아질 수밖에 없는 이유이다.

10년 전까지만 해도 직장을 다니고 동호회를 가입하면서 새로운 사람을 만나고, 관계를 이어가기 위해 애를 썼지만, 지금은 그럴 필요를 못 느낀다. 나의 남편과 아이들만 있으면 되는데 굳이 새로운 사람들을 만나기 위해 눈치 보고 경계하는 과정들이 피곤하다.

사람들은 모두 어떤 형태로든 두려움을 가지고 산다. 실패에 대한 두려움, 새로운 것에 대한 두려움, 변화에 대한 두려움, 상실에 대한 두려움 등. 이런 두려움은 사람들로 하여금 부정적인 핑계를 만들어내고 안주하게 만든다.

이런 두려움에 이겨내기 위해서는 우선 행동해야 한다. 머리는 움식이라고 계속 명령을 내리지만 손과 발이 거부하고 있다면, 크게 외치고 실행해보자. 머리에서 발로 내려오는 시간을 줄이고, 생각이 나면 바로 움직이는 것이다. 머뭇거리다 지나고 나서 후회한 경험은 누구나 해보았을 것이다. '아까 했어야 하는데', '그때 할 걸' 하는 크고 작은 후회들로 가득 찬 하루를 살아가고 있다면, '해야 하는데'라는 생각이 들 때 바로 실행해야 한다.

《성공하는 사람들의 7가지 습관》의 저자 스티븐 코비의 강연에서 있었던 일이다. 스티븐 코비는 관객 중 한 명을 무대로 올라오도록 했다. 그녀에게 그릇에 작은 돌들을 반쯤 채워놓은 상태에서 밖에 놓여 있는 큰 돌을 그릇에 넘치지 않게 담아 보라고 했다. 이리저리 옮기고 위치를 바꾸어 보아도 방법이 없는 듯했다. 무대에서 땀을 흘리고 있는 그녀에게 스티븐 코비는 옆에 있는 빈 그릇을 이용해도 된다고 이야기했다. 그러자 여성 관객은 새 그릇에 큰 돌을 먼저 담은 후 작은 돌을 부었다. 작은 돌들이 큰 돌 사이로 들어가자 그릇에 넘치지 않게 모든 돌들이 들어갈 수 있었다.

작은 돌들로 가득 채워진 그릇에는 큰 돌이 들어갈 수 없듯이, 눈앞에 닥친 일들만 하고 살아가다 보면 일생의 중요한 일은 미처 하지 못한 채 시간을 보낼 수밖에 없다. 인생을 바꾸고 싶다면 새 그릇을 사용하듯 생각의 패러다임을 바꿔서 우선순위를 조정해야 한다.

나는 아이들을 독립적으로 키우려고 하는 편이다. 9살과 7살 아이들이 학교와 어린이집에서 돌아왔을 때 엄마가 없는 경우를 대비하여 몇 가지 경우의 수를 두고 훈련해 놓았다. 집에 왔는데 엄마가 없으면 우선 집 전화로 나에게 전화를 걸라고 이야기해 두었다. 내가 도착할 시간을 알려주고 하고 싶은 것을 하고 있으라고 이야기해주면 아이가 스스로 할 일을 한다. 하지만 혼자 있는 것이 무섭다고 할 때면 잠시 보살펴 달라며 부탁할 이웃들도 알아두었다.

가끔 예상치 못한 일로 아이들의 귀가 시간보다 나의 귀가 시간이 늦어지는 경우가 있지만 예전처럼 초조해하지 않는다. 예전에는 집에 돌아오는 내내 초조한 마음을 주체하기 어려웠다. '아이가 혼자 있는 동안 혹시 무슨 일이 생기지 않을까?' 하는 마음이 들기 시작하면 불길한 예감이 꼬리에 꼬리를 물고 계속 이어졌다.

운전하는 동안 입에서는 욕이 수시로 튀어 나왔다. 마음은 급한데 앞에 운전자가 길을 막고 있으면 신경질적으로 클랙슨을 눌러댔다. 그리고 후회들이 밀려왔다. '일찍 출발했어야 하는데', '아까 자리에서 좀 일찍 일어날걸', '이렇게 차가 막힐 줄 알았으면 지하철을 타고 오는 건데' 이런저런 후회들로 울화가 치밀기 시작했다.

몇 번 이런 일을 반복하자 방법을 바꾸어야겠다고 생각했다. 아이들이 돌아올 시간에 항상 먼저 와 있기 위해서는 나의 꿈을 양보해야 했다. 하지만 그것이 최선의 방법은 아닌 것 같았다. 아이들을 훈련시켜야겠다고 생각했다. 미리 훈련시켜 둔다면 언제라도 원하는 일을 시작할 수 있을 것이라는 생각도 들었다. 아이들 때문에 기회를 놓치는 것이 나뿐만 아니라 가족들 모두에게 손해일 수 있기 때문이다.

아이들을 내가 다 돌봐주어야 한다는 것이 나에게는 '큰 돌'이었다. 하지만 생각을 바꾸고 찬찬히 고민의 시간을 가져보니 그보다 더 중요한 것은 아이들이 스스로 할 수 있게 만드는 것이고, 나의 꿈을 실현하는 것이었다. 과감하게 통을 새로 바꿔서 큰 돌부터 채우기 시작하자 작은 돌들은 자연스럽게 큰 돌의 사이사이에 자리 잡게 되었다.

누구나 풍요로운 생활, 행복하고 여유 넘치는 삶을 갈망한다. 하지만 실상 하루는 사소하고 수많은 일들이 나를 압박한다. 작은 돌들로 가득 찬 일상은 파도가 계속 몰아치는 바다 위에서 뗏목에 의지한 채 표류하는 것과 같다. 하나의 큰 파도가 지나가서 안심하고 있으면 또다시 크고 작은 파도가 쉴 새 없이 몰아친다. 파도를 넘어가고 피하면서 심신은 파김치가 되어 버렸다. 육지에 언제 도착할지, 어디로 가는지, 어느 방향으로 향하는지도 모른 채 살아남기 위해 지금 눈앞의 파도를 넘는데 이미 지쳐 버렸다.

이런 생각이 든다면 새로운 그릇에 큰 돌부터 채우듯 마음을 비우고 생각해보자. 이미 채운 것을 비운다는 것이 두렵지만 10년 후 미래를 스스로 창조하기 위해서는 지금부터라도 새로운 그릇에 큰 돌부터 채워야 한다. 운전하는데 바빠서 주유를 안 하고 갈 수는 없지 않는가? 미래를 스스로 창조하기 위해 새 그릇부터 준비하자. 그리고 어떤 것이 중요한 일인지 구분할 수 있도록 의식을 확장하자.

과거에 가지고 있던 생각을 버리고 나는 어떤 삶을 원하는지, 10년 후의 나는 어떤 모습이 되고 싶은지 그려 보자. 일에 우선순위를 정하고, 내려놓을 것은 미련 없이 내려놓자. 중요한 일에 비중을 두고 하루를 살아가면 내가 원하는 미래가 조금씩 당겨진다. 눈앞에 닥친 일들을 해내는데 급급해 하루를 보내는 사람에게 원하는 미래는 절대 다가와 주지 않는다.

지금은 보이지 않는 미래를 손으로 서서히 끌어당겨 보자. 가슴은 다가오는 미래를 생생하게 느낄수록 세차게 요동칠 것이다.

05

다시 시작하기에 결코 늦은 때란 없다

"나는 젊었을 때 정말 열심히 일했습니다. 그 결과 나는 실력을 인정받았고 존경도 받았습니다. 그 덕에 65세 때 당당한 은퇴를 할 수 있었죠. 그런 내가 30년 후인 95살 생일 때 얼마나 후회의 눈물을 흘렸는지 모릅니다. 내 65년의 생애는 자랑스럽고 떳떳했지만, 이후 30년의 삶은 부끄럽고 후회되고 비통한 삶이었습니다. 나는 퇴직 후 "이제 다 살았다, 남은 인생은 그냥 덤이다"라는 생각으로 그저 고통 없이 죽기만을 기다렸습니다.

덧없고 희망이 없는 삶, 그런 삶을 무려 30년이나 살았습니다. 30년의 시간은 지금 내 나이 90세로 보면 3분의 1에 해당하는 기나긴 시간입니다. 만일 내가 퇴직할 때 앞으로 30년을 더 살 수 있다고 생각했다면 난 정말 그렇게 살지 않았을 것입니

다. 그때 나 스스로가 늙었다고, 뭔가를 시작하기엔 늦었다고 생각했던 것이 큰 잘못이었습니다.

나는 지금 95살이지만 정신이 또렷합니다. 앞으로 10년, 20년을 더 살지 모릅니다. 이제 나는 하고 싶었던 어학 공부를 시작하려 합니다. 그 이유는 단 한 가지, 10년 후 맞이하게 될 105번째 생일날 95살 때 왜 아무것도 시작하지 않았는지 후회하지 않기 위해서입니다."

2008년 8월 14일 〈동아일보〉에 실렸던 글이다. 이 글을 쓴 95세 노인은 지난 30년 동안 나이 탓을 하며 무언가 도전하고 새롭게 배우지 않은 것에 대한 후회의 글을 남겼다.

아직도 창창하게 남은 먼 미래를 구체적으로 생각해 본 사람은 많지 않을 것이다. 이 글을 읽고 잠시 생각해보자. 당신은 어떤 미래를 맞이하고 싶은가? 과연 10년 후에는 어떻게 살고 있을까? 30년 후인 60대에는 어떤 모습으로 살아갈 것인가? 그리고 생을 마감할 때는 어떻게 떠나고 싶은가? 90세에 나는 어떤 후회를 할까? 혹시 지금 이렇게 흘려보내는 30대를 후회하지는 않을까?

30대 여성들에게 경력은 잠시 접고 새로운 것을 배워보라고 권해 보면 한결같은 답을 한다.

"이 나이에 뭘 배워? 배운 게 도둑질이라고 내가 할 게 그거밖에 더 있겠어? 이 나이에 어린애들 하고 어떻게 같이 배워. 난 그런 거 못해."

지금껏 알고 있는 것을 버리고 마냥 새로운 것을 시작하라는 이야기는 아니다. 다만 나이를 핑계로 새로운 것을 시작하는 것을 두려워하지 말라는 것이다. 살아온 날보다 앞으로 살아갈 날이 훨씬 길다. 지금껏 살아온 방식과 경험, 경력으로 앞으로 남은 시간을 살아가기에 그 시간은 길다. 앞에 나온 95세 노인처럼 새로운 것을 배워 더 나은 내일을 살아야 한다.

어느 강사의 〈꿈 찾기〉 강의에 참석했던 60세 두 여성은 '우리 뭐라도 해보자. 우리도 꿈 꿀 수 있데'라며 강의실을 나섰다. 그녀들은 6개월 뒤에 유럽으로 배낭여행을 가기로 결심하고, 계획을 짜기 시작했다. 그리고 지금 당장 무엇을 해야 할까를 고민한 그녀들이 생각한 것은 바로 영어 공부였다.

동창 사이였던 그녀들은 50여 년 만에 같은 교실에 앉게 되었다. 외국어를 단 한 마디도 못했기 때문에 어학원에 등록했고, 6개월 후 길을 물어보고 알아들을 수 있을 정도의 수준을 목표로 열심히 공부했다. 여행코스도 알아보고 기차표와 항공편도 알아보면서 구체적인 여행을 계획했다. 드디어 6개월 후, 그녀들은 떠났고 꿈을 이루었다.

돌아오는 비행기 안에서 그녀들의 가슴에는 또 하나의 꿈이 자라고 있었다. 유럽을 여행하는 동안 멋진 풍경을 오랫동안 간직하고 싶다는 생각이 들었지만, 작은 휴대용 사진기로 그때의 감동을 담기가 부족했던 것이다. 60세가 넘어 찾은 꿈, 꿈을 이루기 위해 살아가는 그녀들의 가슴 뛰는 이야기를 책으로 남기고 싶다고 했다. 그래서 이젠 '책 쓰기'라는 꿈을 가지고 달리기 시작했다.

무언가를 시작하기에 적당한 시기는 없다. 지금 당장 작은 것부터 시작하면 된다. 당신이 당장 아무것도 시작하지 못하는 이유는 결과가 거창하고 남들보다 돋보이는 것을 찾기 때문은 아닐까? 혹은 스스로를 너무 과소평가하기 때문은 아닐까?

성공은 내가 손을 뻗어 닿을 수 있는 거리에 있다. 하지만 사람들은 성공이 나에게 멀리 떨어져 있을 것이라 생각하고 손 내밀 생각조차 하지 않는다. 꿈은 대단하고 큰 것만 있는 것은 아니다.

꿈꾸는 것에 익숙하지 않은 사람이라면 작은 성공부터 이루어보는 것이 좋다. 일주일에 책 한 권 읽기, 혹은 매일 신문 읽기를 도전해도 좋다. 그렇게 읽기 시작하면 남기고 싶은 내용이 생길 것이다. 그것들을 매일 블로그에 올리는 것으로 꿈을 확장할 수 있다. 매일 올리는 글을 보고 출판사에서 책을 만들어 보자고 제안이 올 수도 있고, 방문자가 점점 늘어나 유명 블로거가 될 수도 있다.

그렇게 지금 할 수 있는 작은 일에서부터 시작해 보면, 그다음에 하고 싶은 것들이 생긴다. 그 과정 속에서 가장 많은 변화는 내면의 변화다. 나의 글을 보기 위해 기다리는 사람이 생기고, 내가 올린 글로 많은 용기가 되었다는 답글이 달리면 나의 열정 에너지는 올라간다. 그리고 열정은 또 다른 꿈으로 확장된다.

당장 손을 내밀어보자. 아무것도 잡히지 않는다고? 그렇다면 눈을 감고 조금씩 더듬어 천천히 손끝의 감각을 살려보아라. 과연 아무것도 없는지. 조용히 천천히 찾아보면 분명 그곳에 나에게 잡히기를 기다리고 있는 나의 꿈이 있다.

KFC 창업자인 커넬 샌더스는 65세에 노숙자 신세가 되었다. 10세 때부터 생계를 위해 농장 일꾼, 철도회사, 건설 현장 등 닥치는 대로 일을 하여 39세에는 어느 정도 돈을 모을 수 있었다. 어렵게 모은 돈으로 모텔사업을 시작했지만 화재로 모텔을 잃었다. 국도 옆으로 새로운 카페를 운영하며 안정을 찾는 것 같았지만 고속도로가 생기는 바람에 그 카페는 경매로 넘어갔다.

60세가 넘은 나이에 나라에서 주는 연금으로 생활해야 하는 신세가 되었음에도 그는 삶을 포기하지 않았다. 레스토랑을 운영하면서 개발한 자신만의 조리법을 팔기 위해 트럭에서 잠을 자고 공중화장실에서 생활을 하며 수년에 걸쳐 미국 전역을 돌아다녔다. 그렇게 3년을 보내고 1009번의 거절 끝에 68세에 찾아간 1010번째 음식점과 첫 계약을 하게 되었다. 이렇게 출발한 KFC는 전 세계 80여 개국에 만 여 개의 매장을 가진 세계적인 프랜차이즈로 성장했다.

"훌륭한 생각을 하는 사람은 많지만 행동으로 옮기는 사람은 드물다."

그가 만약 노숙자였던 그때, 자신의 나이를 탓하며 나라에서 주는 연금만을 가지고 남은 인생을 살아야겠다고 결심했다면 우리는 맛있는 KFC 치킨을 먹지 못했을 것이다. 지금 우리는 샌더스보다 훨씬 젊다. 그가 63세에 시작한 새로운 도전을 30대인 우리는 왜 못하고 있는 것일까?

06

단순하게
상처받고
단단하게 살아라

대니 보일 감독의 영화 〈127시간〉은 아론 랠스톤의 실제 사건을 재구성한 영화이다. 이 영화는 '살고자 하는 의지보다 더 강한 것은 없다!'라는 강렬한 메시지를 전하고 있다. 아론은 MTB를 타고 그랜드캐니언으로 여행 중이었다. 그곳에서 여성 2명을 만나고 그녀들에게 여행 가이드를 하면서 가이드북에 없는 장소까지 안내한다. 그녀들과 헤어지고 홀로 여행하던 아론은 발을 잘못 디뎌 순식간에 협곡 사이로 떨어졌다. 떨어지면서 그의 오른쪽 팔이 바위에 끼게 되었다. 갖은 방법을 써서 팔을 빼려고 노력해 보지만 바위는 꿈쩍도 하지 않았다.

가방에 가지고 온 것을 다 꺼내 보지만, 그 큰 바위를 움직이는데 아무런 도움이 되지 않은 채 자꾸만 시간은 흘러갔다. 시간이 조금씩 지나갈수록 아론은 죽을 수도 있다는 생각에 지나온 시간을 돌아보았다. 가족, 친구, 연인, 사랑하는 사람을 떠올리면서 이대로는 죽기 싫다는 생각에 몸부림을 쳐보지만 그럴수록 현실은 막막하기만 했다.

지금까지 살아온 시간에 대해 다시 생각을 하게 되고, 죽고 싶지 않다는 절박함은 그에게 하나뿐인 선택을 하도록 했다. 자신의 팔을 자르고 협곡을 탈출하는 것. 바위에 낀 팔이 썩어 들어가는 것을 직접 목격하면서 죽고 싶지 않다면 남은 선택은 하나뿐이었다. 끔찍한 고통이 따르는 선택이었지만 그의 살고자 하는 의지는 그보다 더 컸다.

자신의 오른쪽 팔을 절단하고 협곡을 오른 아론은 8km를 헤매다 사람들에 의해 구조되었다. 극적으로 목숨을 건진 그의 이야기는 CNN 등 미국 전역과 세계에 보도되었다. 아론의 삶에 대한 의지와 살고자 하는 용기는 절망에 빠진 사람들로 하여금 다시금 살아가게 하는 힘이 되어주었다. 그는 겪은 일을 책으로 펴내기도 했으며, 수많은 곳에서 강의 요청을 받고 있다. 그는 이렇게 이야기한다.

"제게 일어난 일은 내 인생의 축복입니다."

비록 그는 한쪽 팔을 잃었지만, 보통 사람들이 가지고 있지 않은 소중한 '삶'을 선물 받았다. 죽을지도 모른다는 두려움과 사랑하는 사람들을 다시 볼 수 없을지도 모른다는 압박, 그리고 홀로 남겨진 127시간은 그에게 살고자 하는 의지가 얼마나 큰지 깨닫게 되는 시간이었다.

내가 만약 팔을 잘라야 살 수 있다면 어떤 선택을 할 것인가? 삶을 위해 나의 팔을 자를 수 있을까?

매일 숨 쉬고 살아가는 것이 얼마나 행복한 것인지, 항상 반복되는 일상이 얼마나 소중한 것인지, 나의 가족이 얼마나 소중한지 우리는 잊고 살아간다. 매일 숨 쉬고 살아가지만 공기의 중요함을 모르듯이 살아 있지만 살아있음에 감사함을 잊은 채 살아간다. 하지만 아론은 오른쪽 팔꿈치 아래로 잘려진 그의 팔을 볼 때마다 그는 다시 생각할 것이다.

'이 순간을 살아가는 것이 얼마나 감사한 일인가!'

상처는 사람을 단단하게 한다. 처음 운동을 시작했을 때 쓰지 않던 근육을 사용하면 근육이 찢어지는 고통이 따른다. 운동으로 끊어진 근육섬유는 다시 재생되고, 재생된 근육은 그전보다 단단해진다. 뼈가 부러져서 다시 붙으면 그전의 뼈보다 단단해진다. 몸에 난 상처는 재생되어 더 튼튼해지듯이 마음에 새겨진 상처 또한 나를 더 단단하게 해준다. 누군가의 말 한마디에 상처를 받았다면 처음에는 상처가 되고 기운이 빠져 그 말을 생각하느라 하루를 허비해 버리곤 한다. 하지만 나중에 알고 보면 상대방은 의미 없이 한 말이었고, 그 사실을 알게 된 이후부터는 같은 말에 상처를 입지 않게 된다. 상처를 이겨내는 내성이 생겼기 때문이다.

상처를 피하려 하지 말고, 마음의 면역력을 길러야 한다. 마음의 상처는 상대방이 주는 것이 아니라, 내면의 내가 만드는 것이다. 같은 공간에서 함께 일해도 어떤 사람은 감기에 걸리지만, 어떤 사람은 감기에 걸리지 않는다. 감기 바이러스가 특정 사람에게만 흡입되서 그런 것이 아니다.

감기에 자주 걸린다고 해서 아이를 무균실에서 키울 수는 없다. 성장할수록 많은 사람과 넓은 세상을 마주해야 할 아이로 키우고 싶다면 바이러스와 세균에 대한 저항력을 키울 수 있는 건강한 아이로 키워야 한다. 신체뿐 아니라 마음도 그렇다. 상처를 받지 않기 위해 피한다고 해서 삶이 행복해지고 즐거워지지 않는다. 오히려 상처받을까 하는 두려움에 떨게 될 것이다. 상처를 받는 것을 두려워하지 않는다면 적극적이고 능동적으로 삶을 리드할 수 있게 될 것이다.

아이가 초등학교를 가면 엄마들은 마음이 분주해진다. 아이가 어릴 때는 돌보느라 몸이 힘들지만, 아이가 크면서 스스로 할 수 있는 일이 늘어나면 몸은 편해져도 결정하고 생각해야 할 것이 많아진다. 다른 아이보다 뒤처질까봐 이곳저곳 정보를 알아가며 아이에게 매달려 보아도 나의 마음처럼 아이는 따라오지 않는다. 꼭 아이가 부진아 같아 스트레스가 쌓인다.

아이가 초등학교에 입학하면 유치원 때와는 다르게 등수가 매겨지고, 평가가 이루어진다. 아이가 친구에게 상처받지 않을까, 선생님께 혼나서 상처받지 않을까 매일이 살얼음판 같다. 받아쓰기 시험을 보고 올 때마다 내 아이가 몇 점을 받은 것보다 다른 아이가 몇 점 받았는지가 궁금해지는 엄마들. 아이가 '다른 친구보다 못해서 상처받으면 어떻게 하지?' 하는 마음으로 엄마도 함께 초등학교를 입학한다. 이때 부모의 역할이 있다. 아이가 상처를 받는 것이 힘든 것이 아니라 그것을 극복하지 못하는 그 마음이 더 힘든 것을 깨닫고, 상처를 극복했을 때 마음이 더 단단해진다는 사실을 알려주어야 하는 것이다.

얼마 전 딸아이가 받아쓰기 시험에서 30점을 받아왔다. 잘한 점수가 아니라는 것을 아는지 아이는 쑥스럽게 노트를 보여주었다.

"엄마, 나 오늘 받아쓰기 30점 받았어."

"정민아, 30점 받아서 속상해?"

"아니, 20점 받은 친구도 있어."

"정민아, 엄마는 네가 받아쓰기 점수 잘 못 받아 와도 상관없어. 하지만 네가 시험을 못 봐서 속상하거나 친구들한테 창피하면 엄마가 전날 시험 보는 거 같이 연습해줄게. 대신 싫으면 안 해도 돼."

그 이야기에 아이는 알겠다고 대답을 했다. 매주 화요일에 보는 받아쓰기 시험을 위해 월요일 저녁마다 딸아이와 함께 받아쓰기 연습을 시작했다. 가끔은 피곤해서 잔다며 연습하기 싫다는 딸아이는 화요일 아침에 나보다 일찍 일어나 내게 노트를 내민다.

"엄마 한 번씩만 불러줘."

일찍 일어나 책상 앞에서 준비하는 아이를 보니 바쁜 아침 시간임에도 거부할 수가 없었다. 아이는 그렇게 스스로 일어서는 법을 하나씩 배우고 있었다.

상처는 단순하게 받고, 단단하게 살아가야 한다. 인라인 스케이트를 배우면 가장 먼저 '넘어지는 방법'을 배운다. 유도나 격투기도 마찬가지다. 넘어질 때 잘 넘어져야 부상을 입지 않기 때문이다. 넘어지는 것이 두려우면 인라인도, 스키도, 보드도 배울 수 없다.

인생을 살아가는 것도 그렇지 않을까? 상처받고 싶지 않다면 아무것도 새롭게 시작할 수 없다. 제대로 상처받고 상처를 치유하는 법을 안다면 그 상처가 두렵지 않을 것이다. 세상을 단단하게 살아가는 것은 상처 입은 사람들의 몫이다. 당당하고 멋진 삶을 꿈꾸지만 상처를 두려워하는 것은, 보디빌더가 되고 싶지만 근육통을 두려워하는 사람과 같다. 오지를 탐험하기 전에 전염병에 대한 예방접종을 하고 떠나듯, 10년 후가 기대되는 삶을 살기 위해서는 불어오는 바람에 맞서 발을 떼듯, 상처를 받아들여야 한다. 작은 상처가 당신의 인생에 큰 병을 막아주는 예방접종이 될 것이다.